인어
공주를
위하여

이 미 라

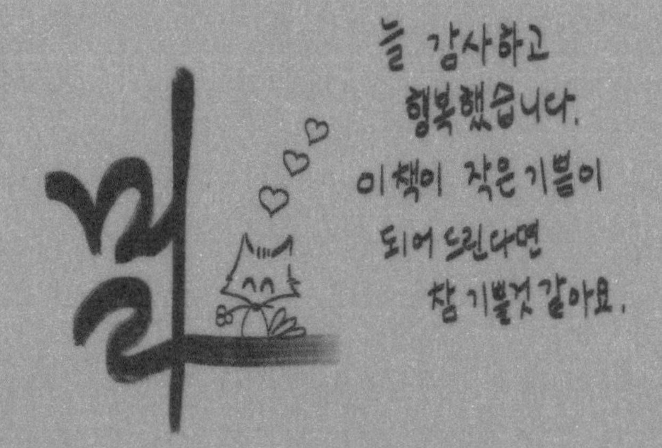
늘 감사하고
행복했습니다.
이 책이 작은 기쁨이
되어 드린다면
참 기쁠것 같아요.

인어
공주를
위하여

LEE MI RA SPECIAL EDITION
인어
공주를
위하여
2
이미라
학산문화사

LEE MI RA SPECIAL EDITION

인어공주를 위하여 2권

제8장 푸르매… 나의 동화

싫어~,
싫어~.
푸르매
가지 마아~.
이사 가도
금방 놀러 올 거야.
싫어어—.
금방 편지도 보낼게.
약속해.
으응….
나,
글씨 몰라.

언니들에게
읽어달라면 되잖아.
그래도 싫어.
가지마,
푸르매.
슬비….
가지 마아아—.

슬비가 무척이나
서운한가 봐요.
그렇게
붙어 다녔으니
그럴 만도
하지.
아무리 그래도
저렇게 억지를
부리다니….
깊이 있는
재교육이
필요해.

슬비 못지 않게
나도 섭섭하네.
좋은 이웃이었는데….
그래, 구미에서
계속 살 건가?
아닙니다.
지금은
어쩔 수 없지만
푸르매가
중학생이 되기 전에
대구로 나와야죠.
우리도 곧
옮길 걸세.
이게 마지막이
되는 게 아닌지
모르겠구먼.

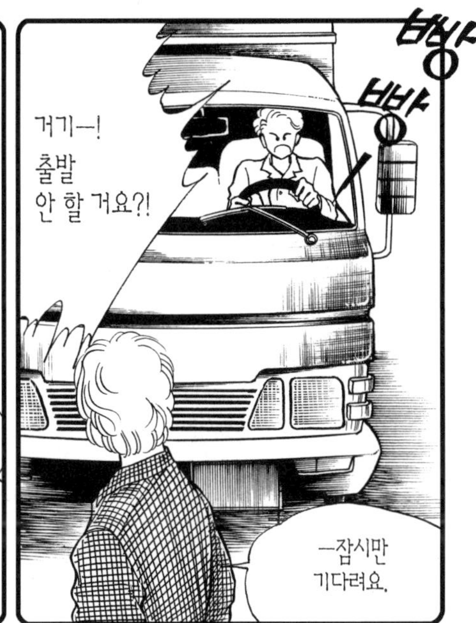
빵
빵
거기―!
출발
안 할 거요?!
―잠시만
기다려요.

푸르매,
이제 가야 된다.
예.
꼬 옥
히잉~.

울지만 말고
내 말 들어봐.
내가 거짓말 한 적
있어?
으음…,
없어!
근데 왜
내 말 안 믿어?
그치만…,
그치만….
잉잉~~.
푸르매 이사 가면
날 잊어버린댔어.
언니들이 그랬단
말이야.
그럴 리가
없잖아.
너는…,
그러니까
나는 너랑….
…그러니까.
집사람 친구가
대구에서 직장을
알아봐주겠다지만
왠지 거북하고….
그건 또
그렇지….

푸르매
화났어?
정말?
그래.

이건 약속의 선물이야. 신부는 내 거고 신랑은 네 거야.
내가 뭐랬는지 기억하지?
으응. 난 나중에 푸르매의 색시가 될 거니까 푸르매는 절대 약속을 잊지 않을 거야. 색시를 잊어버리는 신랑은 없어.
뭐라고?

그 다음엔?
내가 어른이 되면, 17살이 되면 생일 때 꽃 사들고 결혼 신청하러 올 거야.
허허…. 저놈들이 이제 보니까….
호호호…
푸르매, 나쁜 놈.
아이고~, 기가 막혀서…. 우리 사돈 되겠네? 푸르매 같은 사위감이라면 말할 것도 없이 찬성이지.

자주
놀러 올 거지?
그래.
열일곱 살 때
꼭 신부로 맞으러
올 거지?
그래.
푸르매
이슬비
약속이야.
약속이야.
약속…
이야….
그 후 우리도 이사를 했고,
그 사이에 푸르매와는
영영 소식이 끊어진 거야.

그러니 난 믿고 있어. 내가 17살이 되는 생일이면 푸르매가 찾아올 거라는 것을….
푸르매는 절대 약속을 어기지 않으니까.

결국 푸르매는
어린 시절 소꿉친구일
뿐이잖아!

그 말을 믿고
지금껏 푸르매를
기다리고
있다는 거?
푸르매가
약속했으니까!
푸르매는 한 번도
거짓말을 한 적
없는걸?
연락이 끊어진 것도
우리 집 이사 때문이지
푸르매가 약속을
안 지킨 게 아니야.

아가…
몇 짤…?

석 달만 더 기다리면 푸르매를 만나는 거야.
장미야, 재….
푸르매 만나면 우리에게도 소개시켜줘야 해.
너도 걔가 온다고 믿어?
슬비가 말한 그런 사람이라면 약속을 지킬 거라 생각해.
역시 그렇지?
응.
머리가 아파온다.

…전부터 생각했지만
저 둘은 참 비슷해.
전혀 다른 외모, 성격인데
닮았다고 느껴지니
묘한 일이야.
목마르지 않아?
매점 갈까?
여기들 있어.
내가 음료수
뽑아 올게.
이제까지
믿어준 사람은
미라 언니밖에 없었는데
장미도 믿어주는구나.
헤헤….

솔직히 말해봐, 푸르매란 사람이 올 거란 말을 정말 믿는 거니?
안 믿는 것 같아?
집념이 강한 건지 어리석은 건지 도통 모르겠다.
국민학생이라도 그런 건 안 믿어.
코흘리개 시절 약속을 믿고 10년이나 기다리는 애가 어딨어?
귀엽잖아, 순수한 그 믿음이.
그리고 약속을 믿는 게 어리석은 게 아니라 잊는 게 나쁜 거지.
우리, 아직은 좀 더 꿈꾸어도 좋을 나이 아니니?

싫어도
꿈을 잃어버리는
날이 올 텐데,
조금이라도
오래 지닐 수
있다는 것도
축복 아닐까.
때론 너도
그렇게 보여.
너도 아직은
꿈꾸고 있는 거니?
글쎄…. 슬비의 꿈이 이루어지면
내 꿈도 이루어질 것 같아서…,
왠지 그런 생각이 들어서…
그보다 나,
그 이름 어디서
들어본 것 같아.
그래?
특이한
이름이잖아.
분명히 들어본 이름인데…,
어디서일까?
너였니?

%?
잘한다.
공부는 안 하고
연애질이나
하다니….
이름은?
김…
정미.
흐음…
김정미라…,
정미….

이름이
쌀집 이름 같아.
왜 그런 이름을
지었니?
화끈
내가
지은 것도
아닌데….
이슬비란
이름도 어딘가
우중충하고….
중얼중얼
스윽
저 자식이!
…왜…
그러시는
거죠?
와!

너…
이제 보니
상당히…
무지막지한 애구나.
발 밑에 왕개미가
깔려 죽어 있어.
엄마~
앙앙앙.

개미….
…….
휘
이
잉
혁진 선배는
보기와는 많이
다른 것 같아요.
다르다니,
뭐가?
재미있는 분
같아요.
별 해괴한 소리를
다 듣네.
…….
매점이다.
들어가자.

후루룩
후룩

다 소 곳...

저런 모습으로
식사할 수 있다니,
여자는 참 신기하군.
우아..
청순..

탁...

다 먹었니?
어, 절반이나
남았네?
많이
먹었어요.

후루룩…
후후…
정말 그거 먹고
견딜 수 있니?
평소
식사량인걸요.
일부러 조금만
먹는 것 같던데….
왜 그러는 거지?
나에게
잘 보이려고?
이게
내숭이란
건가?
뭐
이런 사람이
다 있어.

점심 때마다
몸을 풀곤 했더니
그냥 있기가
힘든걸,
……….
오늘 따라
점심 시간도
긴 것 같다.
저기요….
제가 마음에 들지 않아
그러는 거라면
차라리 솔직하게
말해주세요.

무슨 말인지
잘 모르겠지만…
난 오는 여자 안 막고
가는 여자 안 붙잡아.

무…,
무슨 짓이야?!
야! 기다려!
기다리란
말이야~!!!
오는 여자 안 막고
가는 여자
안 잡는다며?

참, 그랬지.
긁적
긁적
근데…
슬비에게 맞은 흉터.
이해할 수 없어. 왜 내가 두 번씩이나 여자에게 뺨을 맞아야 하지?
도대체 저 애는 왜 그러는 거야? 다짜고짜 때리고 달아나다니…. 아직도 쓰라린 상처가 남아 있는 나에게….
그때나 지금이나 맞을 언행을 했으니까.
푸코의 추

그 여자애가 이유 없이 때리고 도망간 거라고!
그런 식으로 말하지 마. 나도 처음으로 하는 데이트라서 최선을 다했어. 식사비도 내가 냈고.
여러 가지 의미 있는 얘기도 많이 하려고 노력했어.

엉
엉
내가 왜 뺨을 맞아야 해~? 아무리 생각해도 모르겠다고.
엉
내가 잘못한 게 뭐냔 말이야!
여자는… 모든 면에서 남자와 달라.
육체적인 면은 물론 정신적인 면에서도.
…?
사고 방식, 행동거지, 언어의 선택… 그리고 자기들만의 독특한 환상적 세계를 가지고 있지.
음
양
여자
－
대지(土)
남자
＋
하늘(天)
음양 오행설

사물을 향한
시선은 섬세하고
감각도 예민해.
또 평화적이고
우호적이며,
아름답고 연약하고
희생적이지.
여자 = 선녀 천사
으음…,
여자란 좋은 거구나.
네가 말한 대로라면
난 여자랑 교제하고 싶어.
특히 희생적인
부분이
날 감동시켰어.
바로 그 점이야.
남자는 공격적인
사디스트가 많지만
여자는 마조히스트가
많지.

그게 뭐니?
마…?
사디즘과 마조히즘을
말하는 것인데 사디즘이란
상대방에게 고통을 주며
쾌감을 느끼는
심리 현상이야.
반대로 마조히즘은
고통을 받으며
쾌감을 얻는
묘한 심리현상이지.
내 친구지만
정말 대단하다니까.
자랑스러운 녀석.
푸코의 추
나도 외워서
유식한 척해야지.
뭐라고 했더라.
여자는 부드럽고
섬세하며….
그래서
말이야.
앗!
위험…!

쾅
아 아 이고…
아프겠다.
괜찮니?
조심하지….
하하…. 괜찮아, 이 정도는. 워낙 단련돼서 방망이로 1시간 동안 구타당해도 멀쩡한 몸이라고.
쓱 쓱…
커다란 혹이 생겼다.
그래? 시간이 지나면 없어지겠지.
감각도 예민……?
…….

5월은
라일락 향기가 잔잔히 흐르는
낭만의 계절.
그러나 오늘날의 학생들에겐
어쩐지 빛바랜 이야기가
되어버린 현실이다.
왜냐하면 마의 장벽—
중간고사가
버티고 있기 때문.
푸른고교의 학생들 역시
예외는 아니어서
시험 기간이 되면서부터
모두들 안색이 창백해진다.
물론 약간의 예외 사례도 있다.
사례 1: 성적에 관심이 많으면서도 담담한 유형.
의연하게
보이기 위한
필사적인 몸부림에
의한 성과.
(내심은 살기)
이유는 독자님들이
누구보다
잘 아실 것임.
사례2: 성적에 무관심해서 담담한 유형.
아예 포기한 지
오래라서.
어느 정도
만족해서.

고래 심줄로 붙들어 매고 총칼로 위협해도
시간은 흐르는 것.
와
시험 끝났다~!!
와 아
이제 금방
여름 방학이
오는 거야,
그렇지?
얘가 자다가
봉창 두들기는
소리하네,
방학까지
두 달이나 남았어.
기말고사도 있고….
아…,
이거 또 틀렸다.
…아직 시험이
남아 있었구나.
나야 수업 시간 짧아서 좋다만
시험이 뭐라고 다들 핏발을 세운담.
휴지통

빨리 내놔!
저… 정말
가진 거 이게 전부예요. 정말입니다.
그거 말고 손목의 것 말야.
퍽
아, 안 돼요, 이것만은….
퍽
누가 그런 거 차고 와서 위화감 조성하래?! 그래서 넘쳐나는 돈…,
가난한 학우에게 좀 기부하라는데 안 되긴 뭐가 안 돼?!!!
끝내.

그만둬—!
뭐 하는 짓이야?
으잉?

어머나~.
이 언니가
나를 웃기네.
너희들 뭐니?
교내에서
왜 강도짓이야?!!
뭐야?

쓸데없이
끼어들지 말고
가라.

서지원!

그럼
여자라고
봐주는 일
없다는 것도
잘 알겠지?
후욱—

으음….
후후

퍽

앗!

아아앗!

지원….
뭐 해. 빨리 따라와!
그, 그래.
잡아 와—!!
다다 다다
여기까지 오면 안심해도 될 거야.
고, 고마워. 덕분에 살았어.

총명하기도 하지.
교무실 앞으로
내빼니 도리가
없잖아.
재빠르기가
다람쥐 같군.

근데 대장,
어떻게 된 거야?
여자한테….
응?
거기를
차였나 봐.

와
하
하
하
킥
킥

뭐가 좋다고
히히덕대는 거야!!

미…,
미안해.
휘유~.
까칠하네.
부위가
부위잖냐.
이 말괄량이…,
감히 날 치고
도망갔겠다?

정말 못돼먹은 녀석들 아니니? 교내에서 어떻게 그런 짓을 할 수가 있어?
그런 짓 하면서 어떻게 아무 문제 없 학교를 다닐 수 있는 거야?
전에 말했잖아. 상종 못할 나쁜 녀석이라고.
그러니까~. 왜 그런 애를 그냥 두냐고.
글쎄, 집안에 힘이 있나 보지. 아니면 애들이 말하는 것처럼 성적이 좋아서일 수도 있고….
말도 안 된다.
성적이 아무리 좋으면 뭐 해! 인간성이 그 모양인데…! 인성보다 성적을 더 중시하는 게 무슨 학교야!

신문에서도 읽었어. 입시 위주의 교육제도 때문에 도덕이 무너지고 인성이 무너진다고.
단지 성적 때문에 폭력을 용납한다는 건 너무 한심한 행동 아니니?
아…
안 되지.

그리고… 집안의 힘으로 잘못을 무마시킨다는 건 더욱 한심해.
세상에서 제일 야비한 짓이야.

얼마나 대단한 집안인지 몰라도 자식의 잘못을 그렇게 감싸준다는 건 자식을 망치는 지름길이란 걸 왜 몰라?!
서지원 그 녀석은 자기도 그런 주제에 호사스런 시계 차고 다닌다고 남을 비난하다니 뻔뻔하지 않아?

서지원만 나쁜 것도 아냐! 아까 그 녀석도, 제 힘으로는 동전 한 푼 못 버는 학생 신분에 왜 비싼 명품 시계를 차고 다녀?!
제가 버는 것도 아니면서 부모 돈 많다고 막 써도 돼? 왜 다른 나라에다 왜 갖다 바치냐고!
삼천포로 빠지고 있어.

내 말이 틀렸니?!
몇 백, 몇 천만 원짜리
명품이 왜 필요하며,
몇 십억짜리 승용차가
왜 필요하냔 말이야!!
성실한 국민들이 피땀으로
벌어들이는 외화를 그렇게
낭비하고 부끄럽지도 않아?!
아시아의 용이
올챙이가 되었다는 비웃음에
분통이 터지지
않냐는 말이야!
으~~.
거룩한 분노는
종교보다도 깊고,
불 붙은 정열은
사랑보다도 강하다.

씩
씩
말조심하고
국산품
애용해야지.
슬비에게
저런 뚜렷한
가치관이
있을 줄이야.

잘못되긴, 구구절절
옳은 말이었어.
그렇고 말고!
하하

왜 그런
얼굴을 해?
내 말이
잘못됐니?

다만
주변이 좀….
웅변대회
연습 중인가 봐.
대단한
박력이었어.
커다란 성량에
웅변력에 폭력성까지
갖췄으니 국회로
진출해도 될 듯….

아
하
하
하
그때 슬비 표정, 사진으로 남기고 싶더라니까.
직접 못 들어 아쉽네.
3대 명물에 여학생 한 명 넣어 4대 명물 되는 거 아냐?
설마.
미경이 말이 맞을지도 몰라. 서지원은 복수는 반드시 한다는데… .
그러다가 서지원에게 보복당하는 거 아닐까?

그래도
여학생인데….
슬비랑 장미는
먼저 갔니?
아냐.
슬비는 매점 갔고
장미는 미술실.
무언가
잘못 되어가는
느낌이야.
드르륵—
종인이다.
무시 안 당하려면
말 걸지마.
웃고 있어도
경멸에 찬 시선을
보내니….
내가 다가가면
하던 말도
뚝 그치고….
조~용
시끌시끌
와하하…

고독한 녀석
같아.
그래.
뚝.
시끌 시끌
뚝…
날 우러러
보는 건지…,
불쌍하게
보는 건지….
어느 사이엔가 나는 말을 잃었고
누구와도 대화를 나누지 못한 지
수일째….
들어가지마
정직하여라

친구들과 얘기하고 싶고
말도 걸고 싶지만
그간 연습한 무표정과
절대 침묵이 버릇이 되어,
뜻대로 움직여지지
않으니….
뚝
뚝
나는… 고독하다!!!
언어를 잃은
사나이가 된 것이다.
장미에게 잘 보이려
킬리만자로의 표범이
되고자 했는데….
장미고 뭐고 간에 나는
킬리만자로의
표범이 아닌,
킬리만자로의
박제가 되겠지.
으으윽….

성빈아,
같이 나가자.
그래.
…이 얘기를
해야 할지
모르겠는데….
음?
너희, 장미랑
친하던데
장미에 대해
어느 정도
알고 있니?
그냥
보통 친구들이랑
같지 뭐.
장미에 대한
얘기니?
…….

서지원과 백장미가
보통 사이가 아니란
말을 들었거든.
레스토랑에서
함께 있는 것도
봤대.
들어가지마!
응?
휘인 선배?
왜 저런 곳에서
혼자….

누구일까요~?
뭐, 뭐야?!
헤헤~.
여기서 혼자
뭐 하세요?
누구야?!
아….

뭐야!
나답지 않게
당황하고….
침착하자, 침착!!
뭐…, 뭐지,
너는?
두근
두근
두근

딱
미안해요.
아는 사람인 줄
알고 그만….
긁적
긁적

딱
푸른
위험…!

철컹
휴~.
다행이에요.
그, 그래.

와아앗
나, 나도 모르게
남자랑….
아, 아무도
본 사람이….
하아
하아
깜짝…
슬비네?
형,
뭐 하는 거야?

휘인아.
휘인 선배인 줄 알고 실수를 했어요.
아는 사이인가?
그랬구나. 형이랑 난 뒷모습이 닮았다는 소릴 많이 들어.
헤헤…. 그래요?
어, 벌써 가버렸네?
혼자 다 마실 거니?
꽉
미술실에서 친구들이 기다려요.

이리 줘.
들어줄게.
고마워요.
하나만 들어주시면
돼요.
흐응~
스윽…
뭐 이런 사람이
다 있어?
선배만 아니라면
그냥 한 대 확~~!!!
굉장하던걸?
뜨거운 육탄돌격
아가씨.
이….
탁!
여전히
와일드하시군.

장미야, 저기 봐.
어서!
응?

슬비는
의리의 친구야.
후후…
안녕?
실례해용‥
어, 백장미?
아, 안녕?
전혁진이야.
기억나지?
장미랑
아는 사이에요?
국민학교 동창.
장난꾸러기
전혁진이라면
당시 여학생들은
절대 못 잊을걸?

어릴 때부터 싹수가 노랬어.
너에게만 즐거웠을 것 같은데?
하 하 하
고무줄 끊기, 공기놀이 훼방, 땅따먹기 하는 데서 축구하고…. 생각해보면 즐거운 시절이었어.
호호
흥
하 하 하 하 하
그래서 장미가 울고 불고….
호호
흥, 뭐야. 나란 존재는 잊은 듯이….

제9장 야누스

쏴아아아
똑
아니, 웬 비가 즐거운 토요일을 망치냐?
일기 예보에 비 온다는 소리 없었는데….
학교 다녀왔어, 언니들. 갑자기 비가 내려 완전히 젖었지 뭐야.
그래, 이왕 젖은 김에 시장 좀 봐와.
휙…
뭐?
안 갈 거야?!
팍
아, 알았어.
팍
팍

우리 언니지만
경찰에 신고해버릴까
보다.
당근
2개요.
그러고 보니
그때 그 아이…,
어떻게 지내고
있을까?

누구세요?
너희 아버지 친구란다. 형은 어디 있니?
학교에서 아직 안 왔는데요.
그래, 네가 지수구나. 이리 가까이 와 보렴.
라면
어? 제 이름 어떻게 아세요?
하하…. 어릴 때 많이 봤으니까 알지. 그렇지, 네가 아저씨 무릎에 쉬도 했단다.

지수야,
아빠 보고 싶지 않니?
…아빠……?
그만—!!
형!
더 이상 말하지 마십시오!

할 얘기가 있어 왔단다.
다른 데로 가요.
쏴아
지원아.
두 번 다시 오지 말라고 했잖아요! 지수에게 무슨 말을 하려는 건데요?!!

너희 아버지
편지야.
제겐 아버지가
없습니다!
지원아, 세상 사람들
모두가 그를 욕한다 해도
너만은 그러면 안 돼.
아뇨!
온 세상이 다
그를 용서한다 해도
나만은 절대
용서 못해요!
돌아가주세요!

너와 네 동생을
보고 싶어 하셔.
그래서요?!
저 어린 걸 데리고
면회라도 갈까요?!
시퍼런 죄수복 몰골을
그렇게도 보여주고
싶대요?!
지원아—!
…가서 전해요,
죽어도 그런 일
없을 거라고.

죽어도!

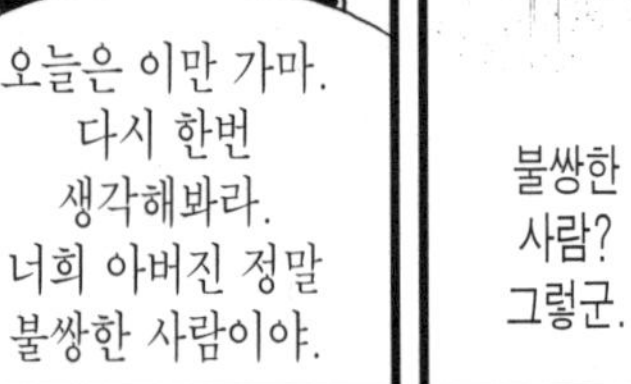
오늘은 이만 가마.
다시 한번
생각해봐라.
너희 아버진 정말
불쌍한 사람이야.

불쌍한
사람?
그렇군.

정말 적당한 말이야.
이 빠진 늙고 병든
원숭이처럼
끝장난 인생!

불쌍하고 말고!
하하하하하
하하하하
하하하하하
하하하하하
하하하하하
형….

하…

형, 우리 아빠
살아 있어?

교도소란 곳에
살고 있는 거지,
그치?
아니야—!

아버지는 없어!
알겠어?!
하지만
아까….
아니라면
아닌 줄 알아!
한 번만 더
그런 소리 하면
때려줄 거야!
……
울지 마!
보기 싫어!
훌쩍
훌쩍
이 익-
휙
형!
어디 가?

어딜 가는 거야,
형?!!
비 오잖아!!
부다당
가지 마, 형아!
부아아앙
형아야!

앗~
…나…,
아빠 보고
싶단 말이야.
엄마도
보고 싶어.

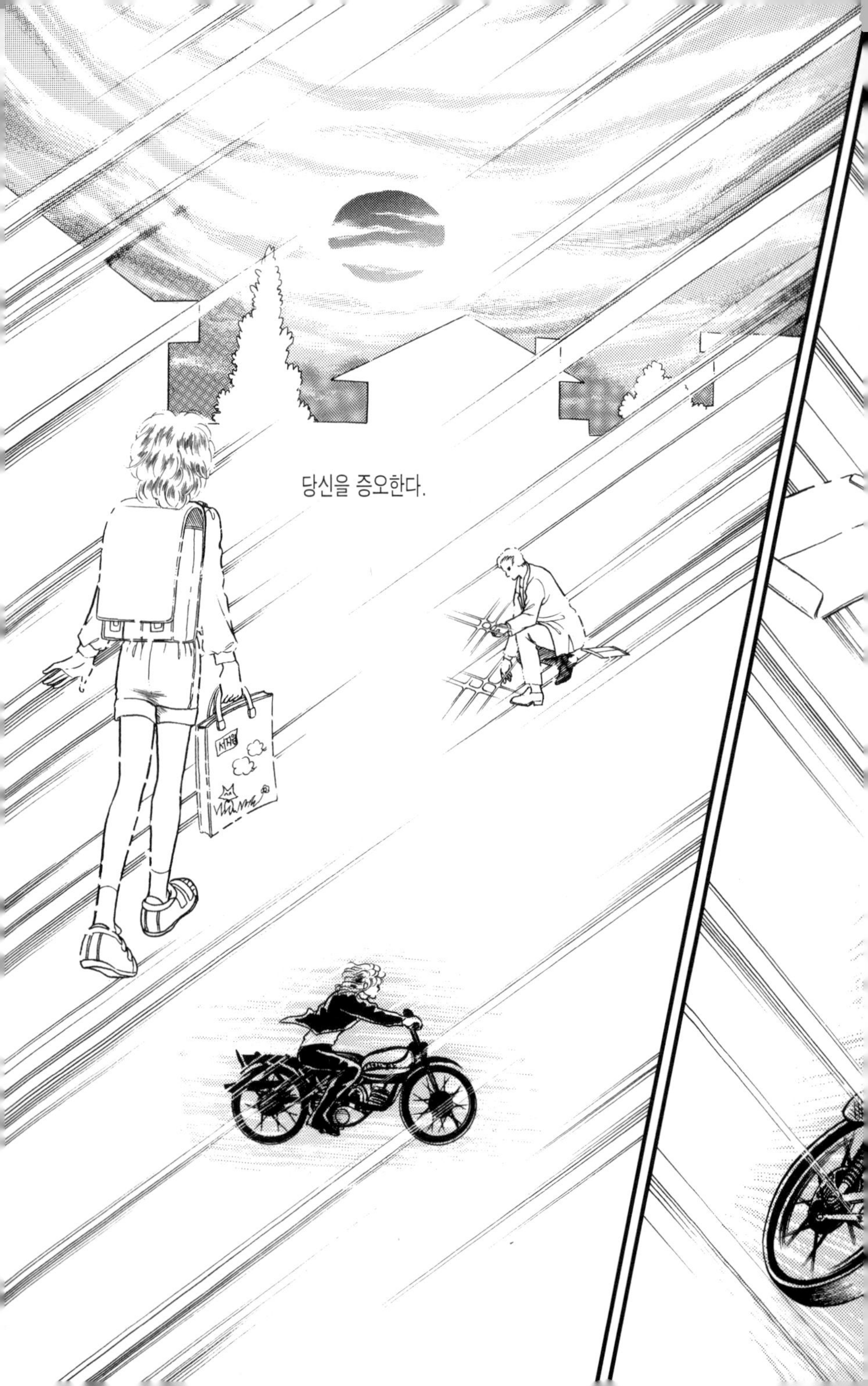
당신을 증오한다.

당신을 사랑하던
그 시절을 증오한다.

무엇보다도 아직까지
이런 생각을 하는
나 자신을 증오한다!!

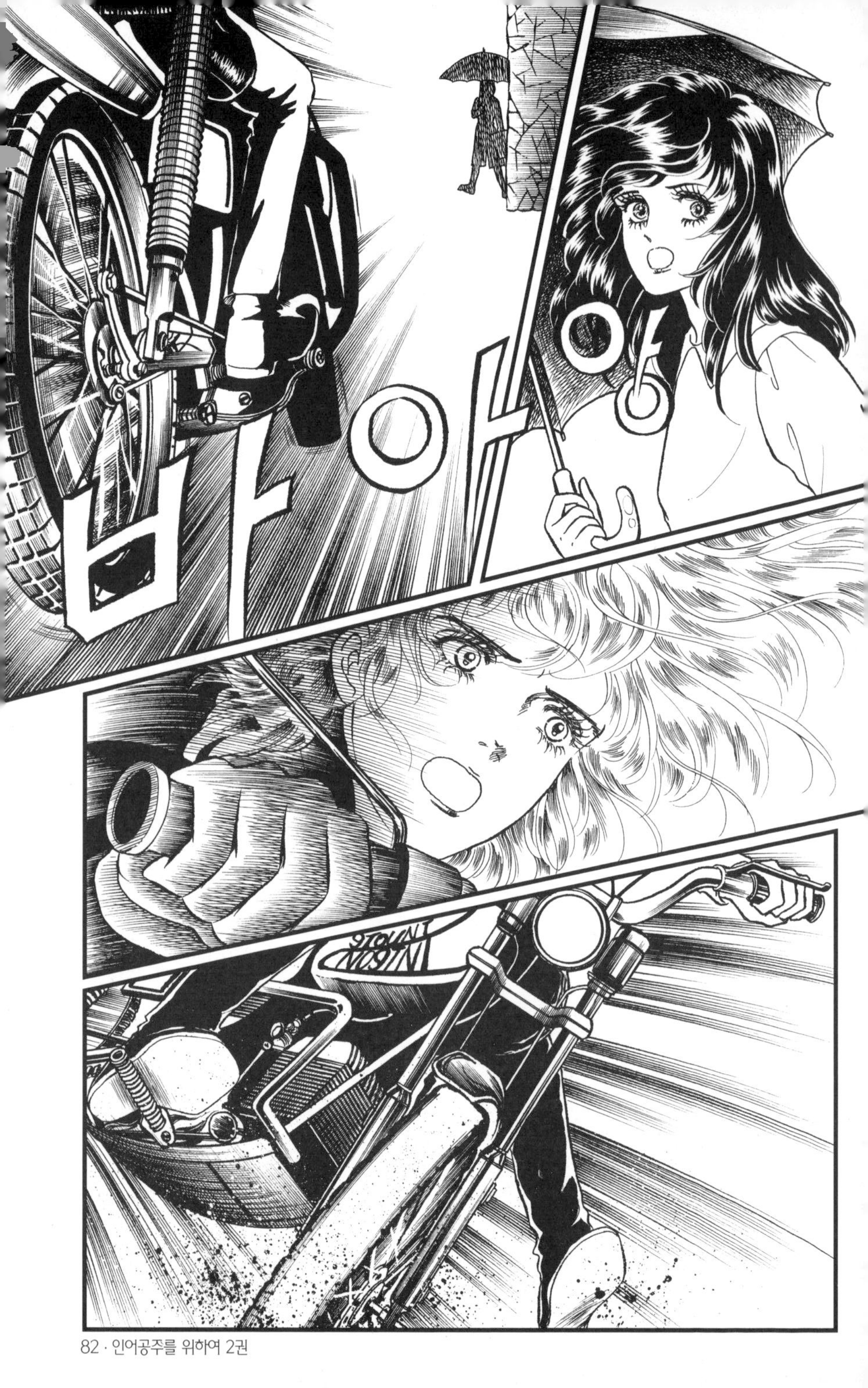
바아앙

괜찮아요?

서지원…?

바쁜데 누구야?
더 갈 거니 말 거니?
레이즈! 1200 더 걸겠어.
야, 이미라! 빨리 전화 안 받고 뭐 해!
좋아, 콜.
나도.
둘째언니
노려보면 어쩔 건데?

여보세요?
Hello. Is that Lee's house?
헉
% & E] A%※ E#
왜 그래?
무슨 전환데?
무, 무서워…. 이상한 말이 막 나오고 있어.
음란전화 아냐? 요즘 그런 게 많대.
#%*&^$ EPS￥!!#°C,
미친 놈들! 밥 먹고 할 짓 없으면 만화나 볼 것이지…. 혜린아, 받아봐.
여보세요?
혜린이니? 엄마다.
그동안 별일 없었니?

엄마!
깜
짝
떨 것 없어. 어머닌 먼 곳에 계시니까.
조건 반사야.
그래, 나도 어머니란 소리만 들어도 심장이 멎는 것 같아.
이곳 하와이는 태양이 쨍쨍 내리쬐고 있단다.
그곳은 어떠니?
조금 전부터 비가 내리고 있어요.
여보, 전화 끊고 바로 물에 들어갈 거라고 자랑해요.

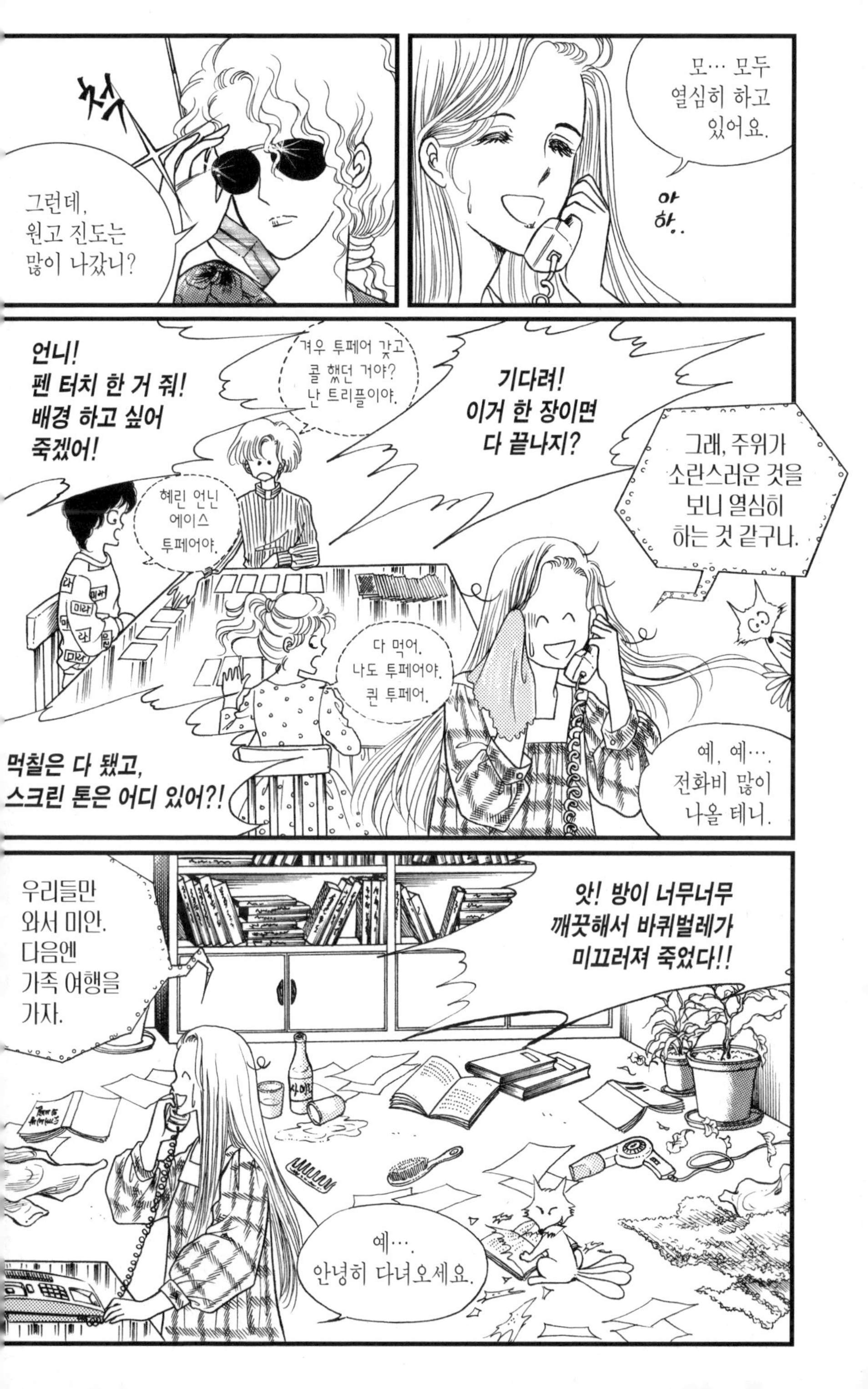

찻
그런데, 원고 진도는 많이 나갔니?
모… 모두 열심히 하고 있어요.
아하..
언니! 펜 터치 한 거 줘! 배경 하고 싶어 죽겠어!
겨우 투페어 갖고 콜 했던 거야? 난 트리플이야.
기다려! 이거 한 장이면 다 끝나지?
그래, 주위가 소란스러운 것을 보니 열심히 하는 것 같구나.
혜린 언닌 에이스 투페어야.
다 먹어. 나도 투페어야. 퀸 투페어.
먹칠은 다 됐고, 스크린 톤은 어디 있어?!
예, 예…. 전화비 많이 나올 테니.
우리들만 와서 미안. 다음엔 가족 여행을 가자.
앗! 방이 너무너무 깨끗해서 바퀴벌레가 미끄러져 죽었다!!
예…. 안녕히 다녀오세요.

그래도 우리에게 신경 많이 써주시네.
감시 전화 일걸.
그렇지 않아. 마음 속으론 늘 우릴 걱정하고 계신 거야.

참, 미라 너, 전화 받으며 왜 그렇게 놀랐니?

아, 아무것도 아냐.
영어 울렁증

그리고 보니 슬비가 안 보이네? 아직 학교에서 안 온 건가?

내가 시장에 보냈어.
뭐? 이렇게 비가 오는데? 언제쯤 갔어?
3시쯤이었을걸, 아마?

시간이 많이 됐는데….
어, 언니, 저기….
삐익

스윽
탁
분위기가 이상해.
무슨 일 있나?

뭐 하고 있어?
보여?
쉬─!
조용히.
푹 젖은 것도
이상하고
표정도
심상치 않았어.
와르르
아하하….
스윽

우뚝
오늘….
깜짝
으응?

그 그럴게.
넌 씻고
옷 갈아 입어,
감기 걸릴라….
뭐야?!
저게ㅡ!
저녁 식사는
언니들이
챙겨 먹어.
씨ㅡㅡ익
탁…
슬비식 처세술 No.1.
무언가 찔릴 때
괜히 어두운 얼굴로
분위기를 잡는다.

언니…,
그게 말이야.
보통 때의
흐름이라면.
왜 이렇게
늦었지?
으아악!
잘못했어!
용서해줘!
팍
팍
팍
늦게 와서 나를
시장하게 한 것으로
부족해서 우산까지
잃어버리고 와?!!
이렇게
되기 전에
먼저 선수를
치는 거지.
이 집 생활을
하다 보면
자연스레
터득하게 되는
생활의 지혜
아니겠어?
린스

꼬마에게
주려고
샀는데….

저어….

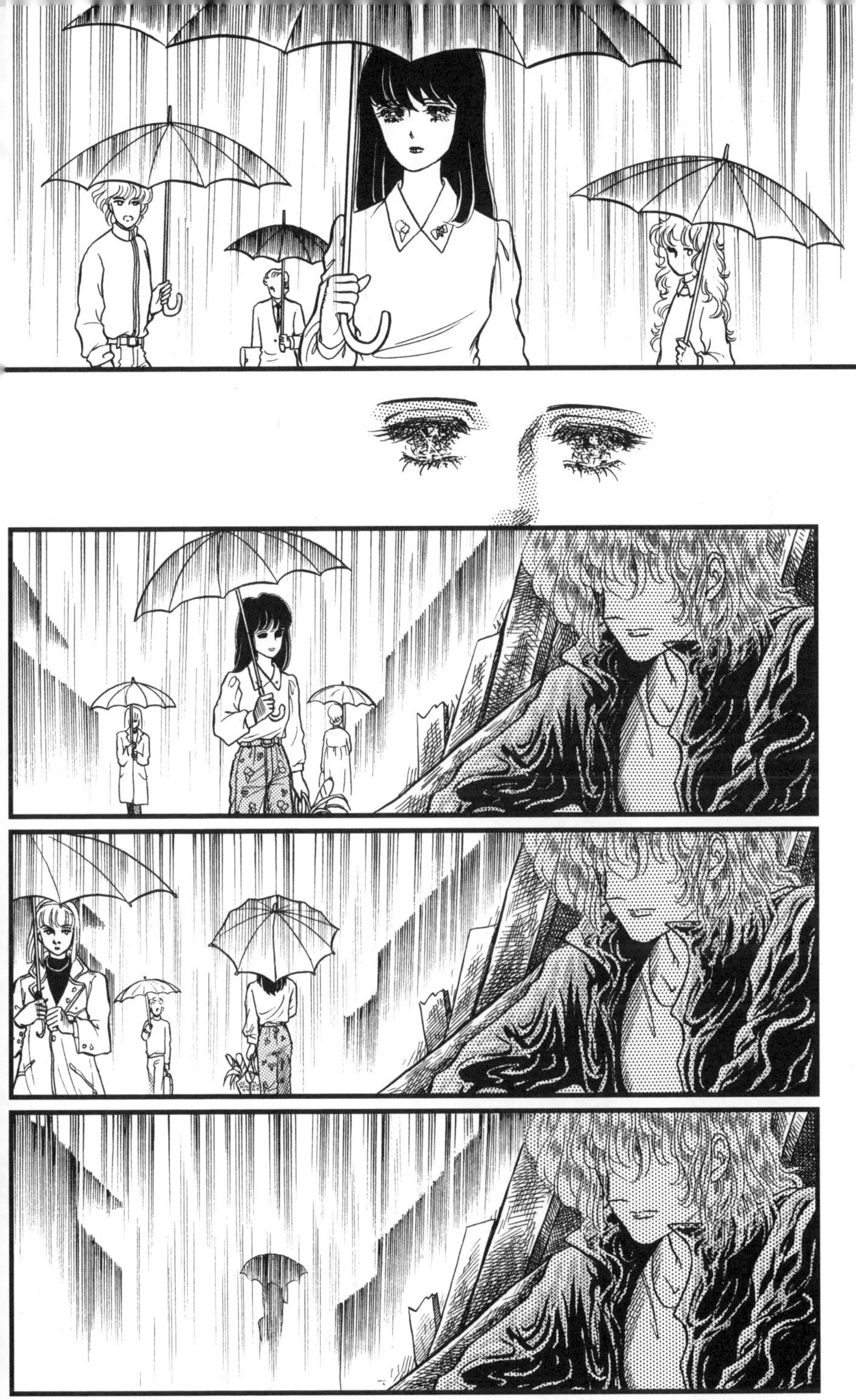

이거―.
…저번에 비를 맞았을 때
이거 한 잔 마시니까
기분이 좋아지던데요.
빈컵은
휴지통에

속상한 일이 있더라도
기운 내세요—.
그때, 그 사람은 나보다
우산이 더 필요한 사람이었지.
…왠지…
그렇게
느껴졌어.
그 젖은 얼굴…,
젖은 눈동자….

확실히 이상해. 목욕이 끝났는데도 전과 달리 뭐든 먹으려 달려들지 않잖아.
우리가 너무 부려먹어 농성하나?
미라 얘는 걸핏하면 폭력을 썼지.
자기들은? 말의 폭력도 폭력이라고,
앞으로는 집안일도 나누어서 하자.
하나뿐인 막내인데 아껴줘야지.
막내가 둘인 집도 있나??
괴력의 킹콩이니 화나면 무슨 일이 일어날지 몰라.
실패했지만 지난 해 5.16 반항아 사건도 대단했잖아.

들…쥐…
할머니는 매우
기…뻤…습니다.
그러나… 엄지 공주는
두더지의… 신부가….

안녕?
토끼 왕자님ㅡ,
보고 싶어서 찾아왔어요.
누나ㅡ!

잘 지냈니?
예.

콜록
콜록

감기 걸렸구나.

괜찮아요.
안 아파요.
괜찮긴,
열이 이렇게
나는데….

누나가 약 사올게.
누나….

자, 한꺼번에
다 먹어야 해.
너도 같이
먹자, 제니.
싫어…
아 참!
밥은 먹었니?
아뇨.
큰일 날 뻔했네.
감기약은
밥 먹고 먹어야 해.
밥 갖고 올게.
저어…
밥 없는데.
라면 있어요.

콜록
콜록…
콜록
콜록…
너,
누워야겠다.
자,
여기 와서 누워.
춥게 있으면
안 돼.
세계구
라면
…….
…왜?
누나 맘대로 해서
화났어?

그렇지 않아요.
누나가 시키는 건
다 할 거예요.
지수는
참 착하기도
하지.

누나가 나가서
밥 지어 올 테니까
답답해도 그냥
누워 있어야 해.
알았지?
네.

누나….

누나는요,
우리 엄마랑
닮았어요.
엄마가 무척
미인이시겠구나.
아-

쨍그랑
그런 것도
닮았어요.
형이 그러는데
엄마는 접시도 잘 깨고
음식도 잘 태우고
그랬대요.
실수..
그건 안 닮았다, 얘.
그릇 깨는 것은
몇 년 만이라고.

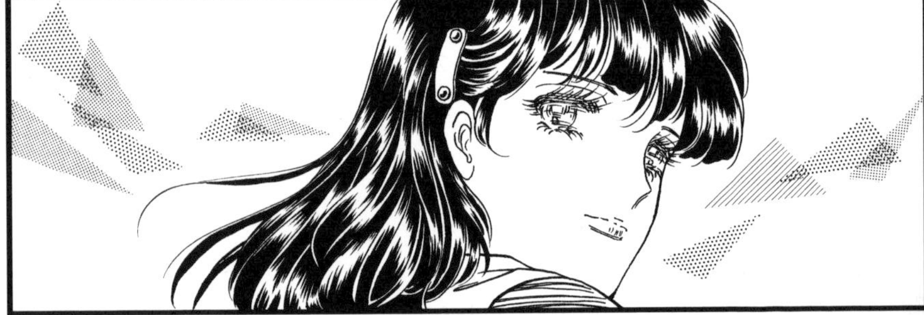

저게 찬장인가?
냉장고는
없는 것 같고.
…텅 비었구나.
얜 뭐야
주거 침입자
아냐
저렇게 어린데,
돌봐줄 사람도
없는 집에서
혼자 앓고
있다니….
콜록!
콜록
콜록!

와아
우리 집 반찬거리 다 써버렸당.
굉장해요. 이거 전부 누나가 다 만든 거예요?
맛보면 더 놀랄 거다.
오물
오물…
정말 맛있어요!

이만하면
1등 신부감이지?
내 장래 희망은
일류 주부란다.
멋있어요.

나중에 김밥 싸서
소풍 가자.

우리 형이랑
같이 가도 되죠?

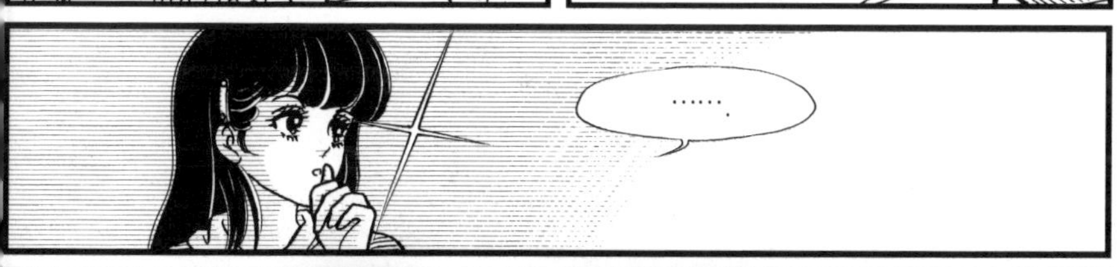
…….

이렇게 널 두고
혼자 다니는 형이
넌 좋으니?
형인걸요.

형이 가끔
화낼 때도 있지만
언제나 내 걱정을 하고
제일 잘해줘요.
난 세상에서
우리 형이
제일 좋아요.
본 적 없지만
어떤 놈인지
대충 짐작이
간다.
이기주의
+
자유
방임주의
30분 됐다.
자, 약 먹자~.
아~ 해.
아
~~

다음에도 감기 걸리면 약 먹어야 해.
쓰다.
예.
감기를 그냥 두면 나중에 더 많이 아프게 될 수도 있거든.

누나—.
들어가.
찬바람 쐬면
안 좋아.
누나가 정말
우리 누나였으면
좋겠어요.
지수야.
그럼 다른 집으로
안 가도 되는데….

지수야.
너, 누나 집에
가서 살래?
누나 집에?
그래.
나 말고도 누나가
4명이나 된단다.
다들 널 예뻐할 거야.
그럼 우리 형은
어떡하죠?
혼자 살라고
그러지 뭐.
안 돼요…. 형은
내가 보살펴줘야 해요.
밥도 잘 못하는걸요.
라면도 그냥 찬물에
막 넣고 국수도 빵처럼
만들어버려요.
형에겐 내가
있어줘야 해요.

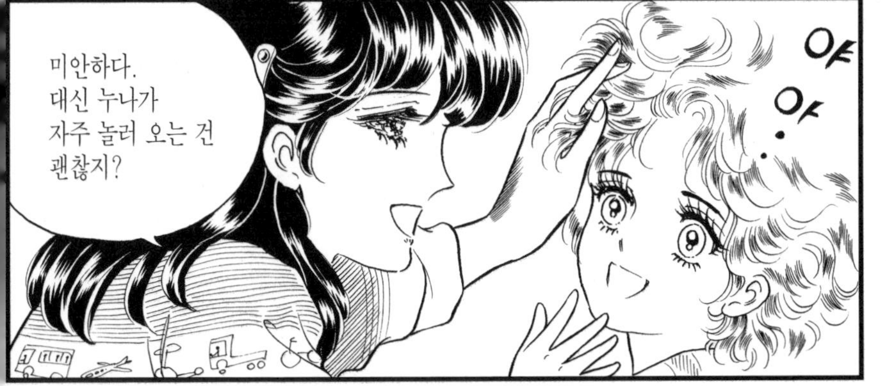

미안하다.
대신 누나가
자주 놀러 오는 건
괜찮지?
아
아

워니제과

낙서
하지 마·금지
파삭…
쯧…
곰 케익 워니 제작

위선!

쏴아
쏴아아
쏴아아아

저 쓸데없는 것…. 아직도 말라 죽지 않고 살아 있군!
언젠가 틈만 생기면 잘라버리겠어!
자, 다같이 식사를 합시다.
맛있게 먹도록 해요. 리틀 제니는 발을 닦고 와서 먹어요.

마이크로 제니,
편식하면
안 돼요.
똑 똑...

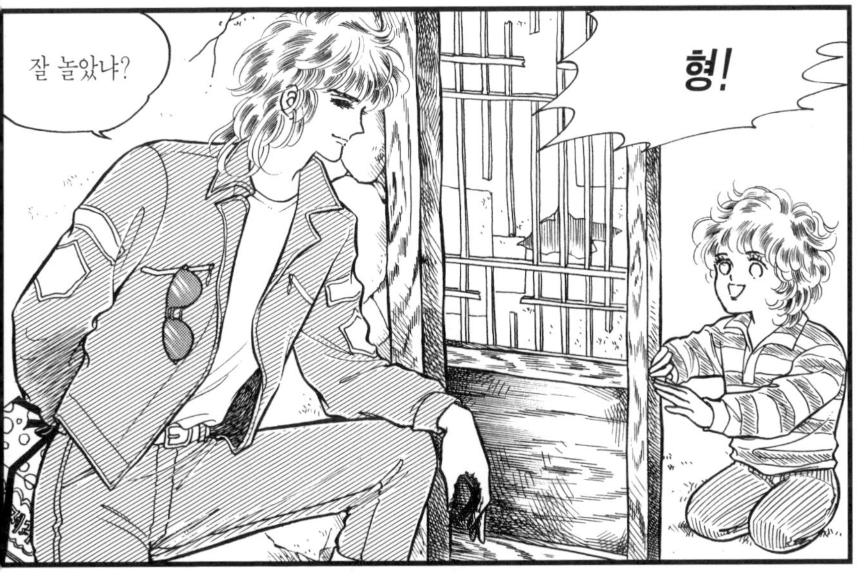
잘 놀았냐?
형!

선물이다.
워니 제과

와
케이 크다

…고모
다녀갔어?
제니,
케이크 먹자.
난
당근이 더
좋아
아작…
아작…
오늘은 안 왔어.
어?
형아,
손에 피—.
다친 거야?
괜찮아, 인마.

고모 언제
왔다 갔어?
고모야
안 왔다니까.

참! 형,
식사 안 했지?
내가 가지고 올게.

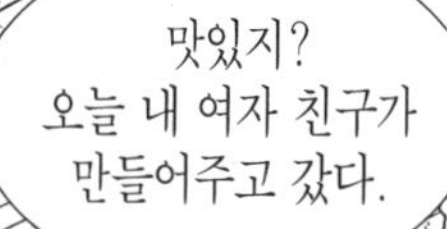
맛있지?
오늘 내 여자 친구가
만들어주고 갔다.

여자 친구?
연상의 여인이야.
헤헤…. 그 누나
얼마나 착하다고.

얼굴도 예뻐!
픽…

이상한 사람 들이지 말랬지? 전에도 네가 데려온 사람이 TV 들고 갔잖아.
꽁
아야!
그 누난 진짜 좋은 사람이란 말이야.
그 누난 엄마 같고, 천사 같아. 앞집 영희 누나보다 훨씬 더 예뻐.
나도 나중에 그 누나처럼 천사가 될 거야.

악마도 원래
천사였다는 거
아니?
누난 달라.
형도 보면
좋아할걸.

밥이랑 반찬도
다 누나가
만들어준 거다.

뭐?
그 애가 해준
밥이라고?

이 밥 먹고
이상 없니?

정체불명의 여자가
해준 밥을 먹으려니
아무래도 불안해.
독이라도 섞었을지 몰라.
음, 정말 맛있군.
우렁 각시가 와서
해준 거 아닐까?
퍽!
퍽!

말똥 말똥
뭘 봐아ー
파다다…
자식이….
헤헤..
라면

후…

콜록 콜록

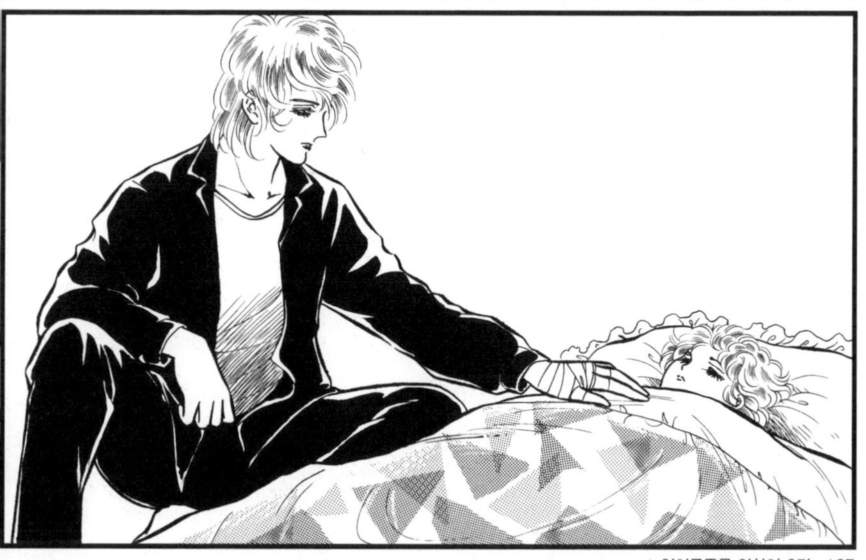

제10장 여름의 길목

번쩍

콰르르르르르

쏴아아아
호우 경보를 발동합니다. 현재 전국의 강우량은 000을 넘어서….
진아 언니, 1층에 벌써 물이 가득 찼어!
제2의 노아의 홍수가 일어나는 듯합니다.
원고, 원고부터 먼저 챙겨—! 어서!
2층으로 막 밀려들고 있어, 어떡해?!
세계는 지금 기상 대이변이 일어나고 있습니다. 미국은 때 아닌 눈보라로….

무서워, 언니. 세상이 멸망하려나 봐.
침착하게! 뭉치면 살고 흩어지면 죽는다!
국민 여러분은 비상사태에 대비해주십시오. 그리고 끝까지 매스컴에 귀 기울여 주십시오.
지금 세계는 공포스러 노에 상인의 횡포에 떨고 있습니다. 유럽이 그의 손아귀에 들어갔습니다.
검은 선글라스를 끼고 채찍을 든 모습이라고 합니다. 그의 목적은 전 인류의 노예화입니다.
방금 들어온 소식입니다. 격렬한 화산 활동으로 일본의 섬 전체가 바닷속으로 가라앉고 있다고….
중국에서 바퀴벌레들이 천안문 광장을 에워싸고 시위를 벌이며….
모 나라에서는 세계 정복을 꿈꾸며 비밀리에 결성한 집게벌레 군단을 출진시켜….
D데이 3일 전…. 이것은 아마겟돈의 시작입니다.

누…, 누구….
으아악—!
살려…줘….
저 비명 소리 뭐야?!
캬아!
그, 글쎄.
방송이 중단됐어.
무서워, 언니~~.
캑
미라 목소리!
으아악
사람 살려—

차…, 창문!
무슨 일이야?
저기 봐—.
번쩍

빨리 피해,
모두들!
뚫리면
끝장이야!
부지직
침착하게
문을 막아!
자꾸 밀리고
있어!!
피해!
콰앙
으아앙—!

언니들, 어서
아침 식사하고
밀린 원고
합시다.
살려주세요.
전 아직 결혼도
못했어요.
잡아가려면
미라나
잡아가세요.
다음부턴
말 잘 들을게요.
집단 악몽?
슬비가
저보다 젊어요.
슬비 잡아가세요.

일어들 나요!
해가 중천입니다!
어느새 잠들었나 봐.
꿈이었나?
많이 남았지? 3일밖에 안 남았으니, 알아서 해.
게으른자여
네가 어느때 까지 눕겠느냐
네가 어느때에
잠이 깨어 일어 나겠느냐
좀더 자자
좀더 졸자
손을 모으고 좀더 눕자 하면
네 빈궁이 강도 같이 오며
네 곤핍이 군사같이 이르리라
D-day 3일전
밤샘은 필수
사람 나고 만화 났지, 만화 나고 사람 났나.
이게 마법칼이라서 1장만 톤 붙이면 10장 완성되는 그런 기적 안 일어나나?
만화가 뭐길래….

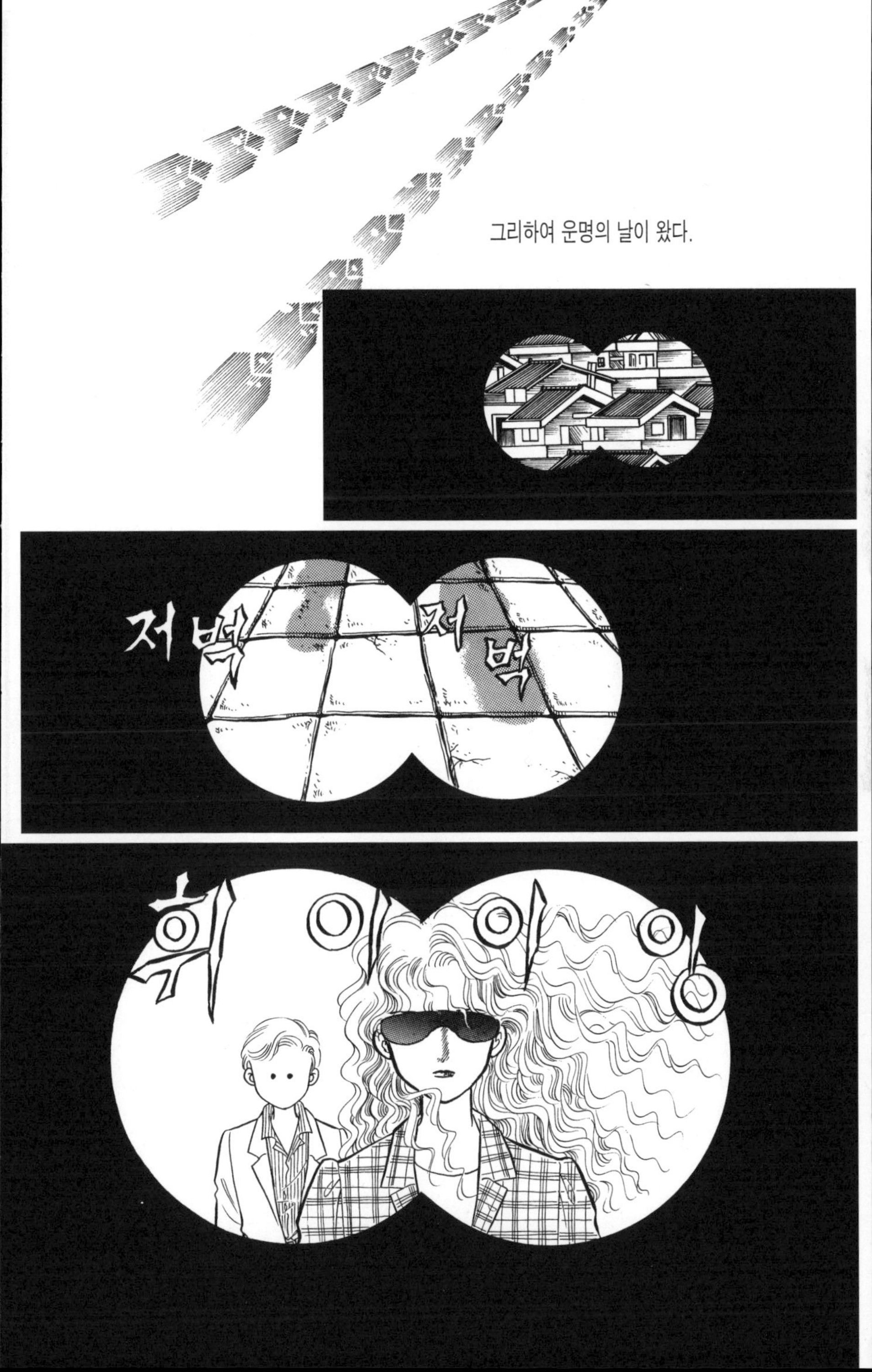
그리하여 운명의 날이 왔다.
저벅 저벅
휘이이잉

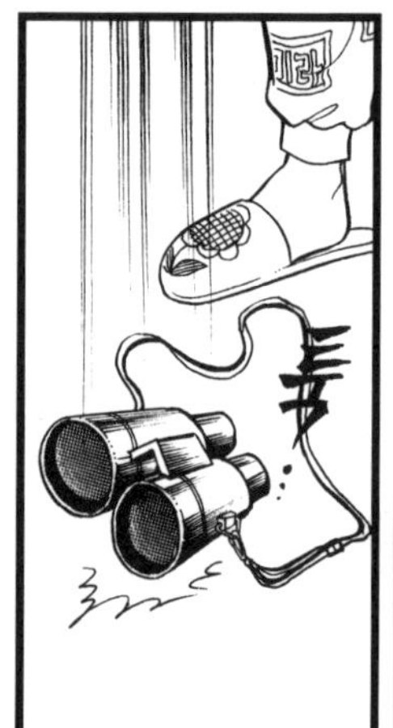
툭

드디어
도착하셨어.
비틀…

당동 당동
모두들 준비됐지?
꿀꺽…

레디―고!

아빠!
엄마!
응?
애들아, 잘들 있었니?

짝 짝 짝

보고 싶었어요.
25번의 낮과 밤을
그리움과 눈물로
지새웠어요.
애절하게.
좀 더 애절하게….
저리
비켜!
덜컹
뚜벅
뚜벅
—여보,
어디 가요?

장농
달깍…
와르르르
…….

휙
휴우우…
그동안 원고는 많이 했나?
예, 예! 스크린톤만 마저 붙이면….
흐음…. 그렇단 말이지.
그럼 어디….
으악

이것들이….
펜터치가 이게 뭐야!
엑스트라 하나에도
신경 쓰라고 했잖아!!
배경 꼴은
또 왜 이래?
선은 또 이게 뭐냐고!
기둥 뽑아서 선 그었나,
이것들이 정말—!
으아악—!
잘못했어요, 엄마!
용서해주세요!!!

내가 없는 동안
많이 흐트러졌으니
군기를
집어넣어야겠어요!
여보, 오늘은
상봉의 날이니
그냥 넘어갑시다.

어머나—,
왜 그러세요?!
휘청
아….

당신은
피곤하지 않소?
난 금방이라도
쓰러질 것 같은데.
제 생각이 짧았군요.
어서 들어가서 쉬세요.
그래요
어머니 -
들어가셔서 쉬세요
뒷일은 저희들에게
맡기시구요!

아—,
괴로운 인생이여.
내일부터
시작될 암흑의
시간이여.
탁
그날 슬비가 느낀
솔직한 심정은
안도와 만족감이었다.
그게 정말
이상하더라고.
그날 밤은 정말
행복한 기분으로
잠들었던 것 같아.

부모님이 안 계신 동안
텅 빈 듯하던 집안이
가득 차 보였지.
부모님과 집은
떼서 생각할 수가
없는 것 같아.
부모님 안 계신 집은
집 같지가 않잖아.
가는 길에
싸맛나에 갈래?
배고프다.
안 돼.
오늘은
할 일이 많아.

뭐가
그렇게 바빠?
마감 끝났다며?
마감 때문이
아니라….
왜?
저기 3학년 교실
창문에 연기 아냐?
그, 그래.
많이 나는데?

불이야!
3학년 교실에ㅡ!
같이 가ㅡ!
슬비!
하하….
그래서 말이야….

헉 헉
헉 헉
방화사 모래
화기
무슨 일이지?
가보자.
드르륵…
여기 소화기….

소화기
푸른
방화사
모래주머니
킥!
불난 줄 알고
소화기를
안고 왔어.
웃기는 애 아냐?
담배 연기
처음 보는
미개인 같아.
으응
맛 좀 봐라!!
스슬비
쉬이이아아이
으악─!
뭐 하는 거야?!
소화

망할 계집애!
뭐 하는 짓거리야!
콜록
콜록
탁
그쪽이야말로
뭐 하는 건데요?!

화재로
오인할 만큼
담배질이라니!
다른 학생에게
미안하지 않아요?
뭔 소리지?
글쎄?

저게 뭔 소린지
넌 알겠냐?
아…, 아니.
톡
톡.
우, 우린
괜찮아.

탁
들었어?
찰칵
우리가 담배 피우니
공부하기에
더 좋다잖아.
빙긋ㅡ
그래,
너도 피워봐.
제법 괜찮은
맛이야.
훅

따악
서지원이
여자에게
뺨 맞았다!!

으악…,
끔찍해.
곧이어
들려올 둔탁한
소리.
안 보는 게
낫지.

잠 잠~

아쭈~. 전교회장이랍시고 우리 일에 끼어들겠다는 거야?
너도 저 계집애가 먼저 날뛰는 것 봤잖냐.
교내에서 규칙 위반하고 담배 피운 건 분명 너희들의 잘못이
그걸 말리는 것 우리 학교 학생으로서 권리이자 의무다

여기서
그만 접는 게
좋을 것 같다.
새끼가 쥐약 먹고
물 못 마셨나?!
대장, 우리에게 넘겨!
휘인 선배….
괜찮아, 슬비.
물러나 있어.
흐응….
그런 사연이란 말이지?
그래서 전교회장
나으리께서 한번
붙어보시겠다고?
서지원, 그쯤 해둬.
매사를 폭력으로만
해결하려는 거야?
푸른

여어~, 전혁진 군.
여전히 함께군.
보기 좋은데?
저 두 사람
이상한 소문도
들리더라.
이상한
소문이라니?
뼈다귀라도 주나?
발바리처럼
따라다니는 걸 보면.
그 왜 있잖아.
비누라거나~.
뭐, 그런….
닥쳐! 이 협잡꾼—!
두 번 다시 주둥아리
못 놀리게 해주지!!
참아, 혁진아!!
저런 개소리를 듣고
어떻게 참아?!!

좋지!
마침 몸이 근질근질했는데 잘됐군그래!

누가 말려야 해. 저러다 큰일나겠어.
…정말… 형편없는 사람이라니까.

후회하게 만들어주겠다! 이 자식!!

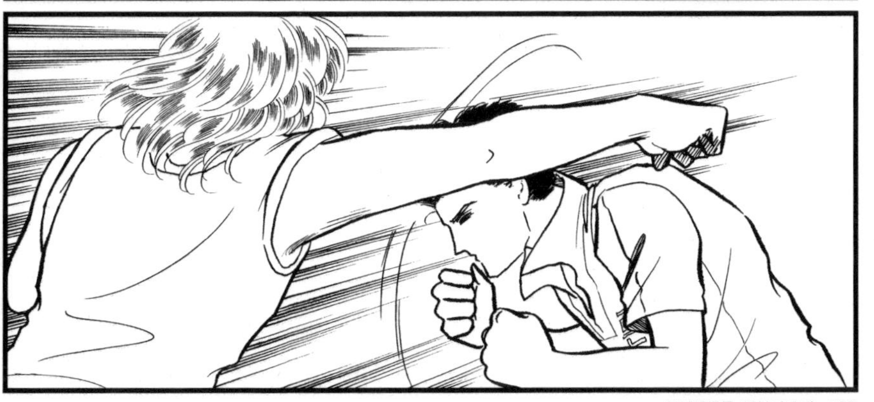

두 번 다시
끼어들지 못하도록
만들어!
먹여─!
잘한다, 대장!
그래, 그래─!
퍽
그만둬, 둘 다─!
전혁진! 서지원!
툭
탁
시끄러워!
방해하지 마.
그만둬!
퍽
에잇! 나쁜 놈아!
그만두란 말이다.

서지원, 너는 하루라도
싸움을 안 하면
입 안에 가시라도
돋는 모양이지?
게다가 그 머리는
잘 길러서 댕기라도
드릴 생각인가?
깎고 싶긴 한데
돈이 없어서요,
선생님.
제법 운이 좋았어,
전혁진 군.
다음에 보자고,
턱
치워.
푸름
그런 눈으로
볼 것까진 없잖아,
자선 사업가 아가씨.
스윽

따닥…
그래.
내가 커피도 사주고
우산도 씌워줬다.
따닥…
따닥…
따닥…
은혜도 모르는
나쁜 녀석아!!
아아~,
이 쓰라린
배신감….
난 괜찮아,
하지만….
그러려니 하고,
잊어버려.
네가 그런 놈들에게
그 따위 소릴 듣다니…,
난 정말 참을 수가
없었어.
분해…!

혁진아….
휘인아….
감 동

괜찮다면 내가 마실 거라도 사주고 싶은데?
고마워요, 하지만 전 오늘….
으윽…
왜 그래?
너무 고마워서 그런가 봐요.
좀 전에 빠진 몇 kg을 보충할 필요가 있거든요.
화재로 착각한 충격 0.5kg 소모
소화기 들고 달림 1kg 소모
지원과의 싸움 1kg 소모
배신감 0.5kg 소모
도합 3kg의 다이어트 효과
슬비 옆집에 사신다죠? 저는 이성빈이라고 해요.
나는 조휘인, 이쪽은 내 친구 전혁진.
그래, 슬비도 아직 정식으로 인사를 나누지 않았지?
흥
첫
아
저-
그러니까……

참, 슬비야, 혁진이가
열렬한 만화 애독자란다.
장래 희망이 만화가래.
어머나!
그럼 두 사람
말도 잘 통하겠네요.
호호호….
베에~
메롱~
흥이다!
아 하~
슬비, 아까
대단하더라.
놀랐어.
아깐 너무너무 화났어.
진짜 불난 줄 알고
얼마나 신경을 썼던지….
한 대로는
직성이 안 풀려.
남자 뺨 때리는 게
취민가 보지??
댁 같은 무뢰한의
뺨 때리는 건
내 취미생활
맞고요.
뭐라고?
으르르….
……!!!

여자가 간도 크지….
서지원이 어떤 녀석인지 알고나 나서냐?
그 녀석들이 여자라고 봐주는 줄 알아?
오늘 그냥 넘어간 건 기적인 줄 알라고.
기적이 아니라 휘인 선배님 덕이겠죠.
…틀려.
솔직히 나로서도 의외였어.
그 성격에 무척 화가 났을 텐데도 네게 손대지 않고 망설였거든.
사실이야. 그 녀석이 정말 치려 했으면 누가 말릴 수 있겠어?
설마….

그래요?
어쩐
일일까요?

글쎄…
괜히 쳤다가
호박 같은 얼굴
더 망가져
성형수술비라도
물게 될까 봐?

아니야!
내가 커피도 사주고
우산도 씌워줬기
때문이라고요!

뭐라고?!
커피도 사주고
우산도 씌워줘?!
응.

별로 이상하게 생각할 건 없어요. 비 맞으며 우는 게 하도 불쌍해서 그런 것뿐이니까.
…울고 있었다고?
무슨 일인지는 모르지만
광장히 어두운 모습이었어요.
말도 걸 수 없을 만큼….
도저히 상상이 안 간다

생각해보니
난 그 녀석을
너무 모르는 것 같다.
오늘도 화부터 냈지.
한때는
친한 친구였는데.
친구였다고요?!
국민학생 때는
단짝이었어.
그때는 다정다감한
소년이었지.
모두가 좋아했어.
지금의 휘인처럼.
정말 상상이 안 가는 얘기다.
코페르니쿠스적인 성격 변화야.

나는 지금 휘인을 좋아하는 것만큼 그 녀석을 좋아했어.

장미야, 여기—.
엄마!

안색이 좋아 보인다.
요즘은 안 아파요. 학교 생활도 즐겁고요.
상아는요?
많이 자랐단다.
이제 중3이잖니.
진학 때문에 고민이 많나 봐.
이것저것 신경 써주곤 있지만,
아직 고등학생이 아니니 좀 부담이 적어.

이번에도 같이 데리고 오고 싶었는데 그 애 과외 시간이….

…미안하구나.
…아니에요….
토요일이니까 오늘 밤 엄마랑 같이 있을래?
어디서 묵으시는데요?

안 그래도 돼요. 어차피 안 들어 오실걸요.
미옥이 아줌마 집에서 묵고 있어. 방이 많다고 이틀이라도 호텔 신세 질 필요가 뭐 있냐며 말리지 뭐니.
오늘 엄마랑 같이 가자. 아빠껜 내가 양해를 얻을게.
세상에…. 네가 장미냐?
정말 몰라보게 컸구나.
그래. 정말 예쁘다. 서시나 양귀비가 울고 가겠어.
엄만.
내 딸 예쁘지?

아이고~. 어찌 이리 인형 같냐?
나도 요런 딸내미 갖고 싶었는데, 징그러운 사내자식 뿐이지 뭐야.
복에 겨운 소리 하면 벌 받아.
그러고 보니 아들이 안 보이네? 제 방에 있나?
웬걸~. 입시반이라고 집에 들어오는 시간이 12시야.

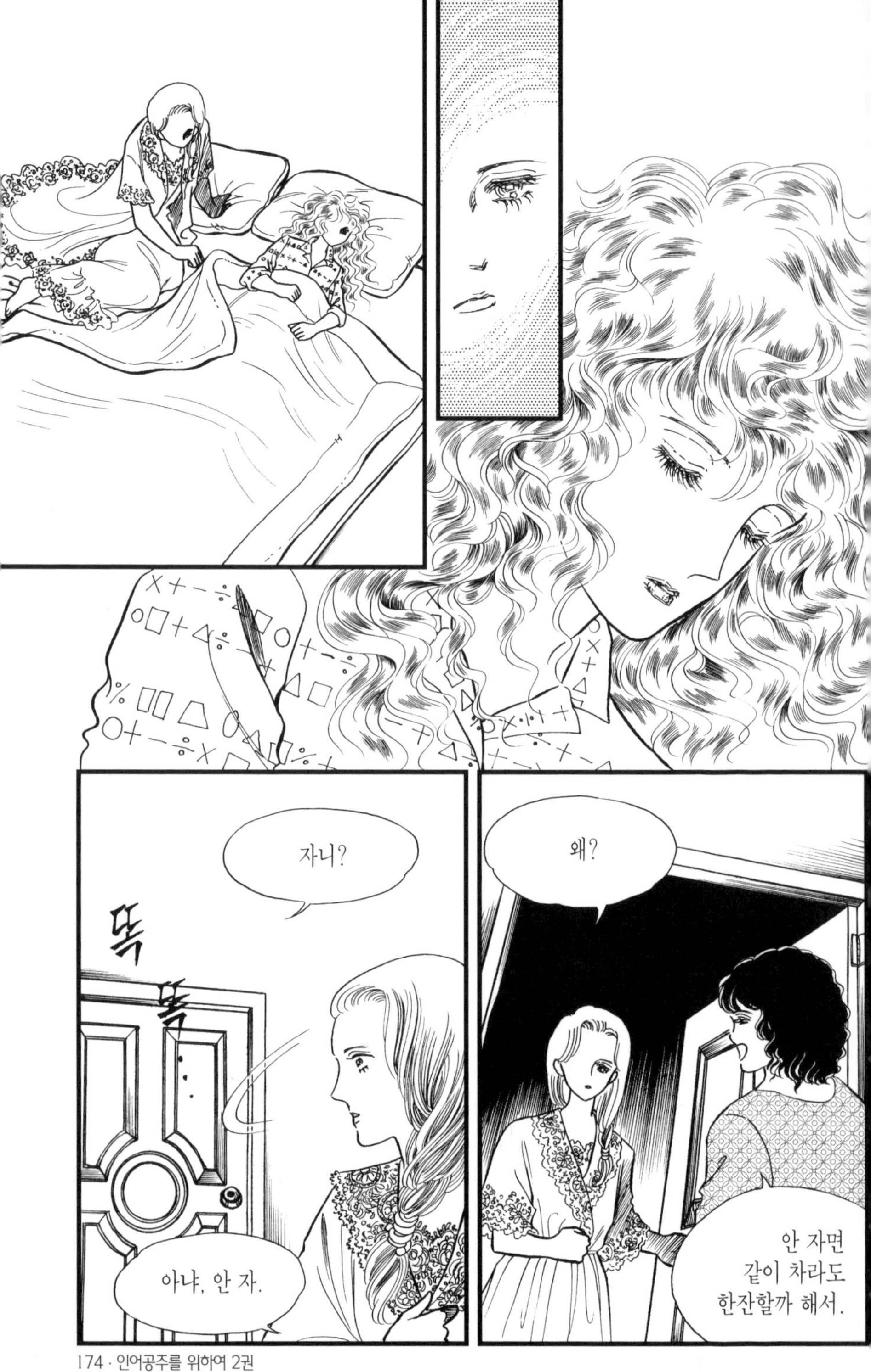
똑
똑
자니?
아냐, 안 자.
왜?
안 자면
같이 차라도
한잔할까 해서.

밤에 이렇게 같이 차를 마시고 얘기하는 것도 정말 오랜만이네.
그래….
결혼하고는 처음이니까 20년 만이지?
20년…이라니….
세월이 정말 빠르구나.
스무살까진 하루 하루 헤아릴 수 있었는데 스물 넘기면서부터 눈 깜빡할 사이에 서른 되고 마흔이 되어 있더라.
가끔은 내 이름도 잊어버리고 아내로, 엄마로만 존재하는 느낌이야.
똑같은 시간의 흐름일 텐데 왜 다르게 다가올까?
미옥아, 나는 그런 네가 부러워.
네가 엄마였다면 애들을 그 지경으로 만들지 않았겠지.

내가 옆에
있었더라면
사고가 났을까….
매번 매번
그런 생각을 해.
자책하지 마.
네 잘못이 아니잖아.
아이가 생각보다
건강하고 밝더라.
아무렇지 않은 것
같던데….
그럴 리가
없잖아.
병원에서
1년….
퇴원하고도 반 년이나
바깥 출입을
하지 못했어.
이제 겨우
학교에 갈 수 있게
되었지만….
답답해.
음악 좀 듣자.
그러자.
뭐 들을래?
…솔베이지….

그 겨울이 지나 봄은 가고
또 봄은 가고,
그 여름날이 가면
세월이 간다, 세월이 간다.
아ㅡ, 그러나
그대는 내 님일세.
내 정성을 다하여….
난, 사람들에게
피해만 주는
존재인가 봐.
어제
면회 갔었어.
5년 만에
겨우 용기를
냈었단다.
전처럼 그저
영치금이나
넣어줄까 하다가….
…그런데…
마주한 순간
망연해져서….
시간이 끝날 때까지
서로 그렇게 외면만 하고 있다
돌아섰어.
…궁금해.
그도 나와 같은
마음이었던 걸까?

아니면 원망했을까?

우리 애들도,
그도…,
그 아이도….
나 하나 때문에
모두 불행하게 된 거야.

딩동
도서실에서 이제 돌아오나 보다.
우리 푸르매야.
이렇게 늦게까지 공부해? 힘들겠다.
누구나 거쳐가는 일이니 이겨내야지.
다녀왔습니다. 어, 손님 오셨네.
그래, 인사 드려라. 엄마 친구 진희 아줌마야.
안녕하세요.

제11장 갈등

언니—, 이거 내가 가져가도 돼?
마음대로 하렴.
라라
…?…
진아 언니, 이 책 안 보지?
애도 참, 내가 어린애니?
혹시…
흐음…, 대충 된 건가.
…! 그래, 역시 그거야!
잠깐—.
아, 미라 언니.

바보!
무슨 헛소리
하는 거야!
너 지금
딴 살림 차리고 있지?
뭐 하는 놈팽이야?
어릴 때부터
조숙하게 굴더니
기어이 일을
저지르는군그래!
화끈
숨기는 게
있어.
어휴-
제니-!
제니,
도망가지 말고
기다려!
깡 총-

제니—!
서라니까!

잡았다!
내가
물걸레로
닦아줄게.
잉잉~
막 속이고...
울지 마,
끝나고 당근 줄게.
아까 속인 거 아냐.
갑자기 넘어졌단
말이야.

…나는
바보란다.
아작…
아작…
엄마 아빠가
자꾸 보고 싶어.

얼굴도 모르면서….

삐걱…
누나—!
지수야.
보고 싶었어요!
왜 이제 왔어요?!

그동안 바빴단다.
기다리게 해서
미안해.
이젠
괜찮아요.

이건 뭐예요?
시장 본 거예요?
아냐,
너 주려고
갖고 온 거야.

와 아

쓰던 거지만
누나 거니까
괜찮지?
예!!

앗, 저도
누나에게
줄 거 있어요.
예쁘죠?
제 우리 형이 사온 건데
혹시 누나 오면 주려고
남겨둔 거예요.
드세요.
그럼 어디…
맛 좀 볼까?
맛있다.
형이 이런 거
자주 사다 주니?
예. 가끔요.
지난 번에 사온
커다랗고 둥근 케이크도
맛있었는데 누나 기다리다
혼자 다 먹었어요.

아주 나쁜 형은
아닌가 보지.
무겁게
들고 왔더니
피곤하다.
앗, 거기
기대면 안…
으악!
되는데….

괜찮아요?
내 허리~.
이 상태로
지낼 수 있다니
신기하군.
좋아! 오랜만에
대청소나 한번
해볼까~.
넌 마스크
쓰고 있어라.

옷들도
먼지투성이.
전부 빨자.
탁
탁
탁
탁
콜록
콜록
안 되겠다.
넌 나가 있어.
그럼 전
걸레 빨아 올게요.

1시간 후—.
와
아...
이제 옆 방을
치워볼까?

어,
그 방은….
잠겨 있네?
덜컥덜컥
그 방문은 열면
안 된대요.
그래서
형이 열쇠
버렸대요.
왜?
엄마, 아빠 쓰던
물건들이 있대요.
근데 형은 그걸
유령이라고
말해요.
몰라요.
도무지 알 수 없는
녀석이야.
합성 세제는 쓰지 말고
비누를 이용하지요.
흰 빨래는 희게 빨고
검은빨래는 검게 빱시다.

누난 못하는 게
없는 것 같아요.
그래서
우리 집에선
전천후 하녀로
통하고 있어.
저도 할까요?
저도 빨래 할 줄
알아요.
괜찮아,
제니랑 같이
구경해.

드디어 끝났다~!
만세!!

으음….

빗자루나
호미 같은 거
없니?
연탄 창고에
있어요.
갖고 올까요?

내가 가볼게.
더 적당한 게
있을지도 몰라.

휴~, 이러다가 성한 곳이 없겠군.

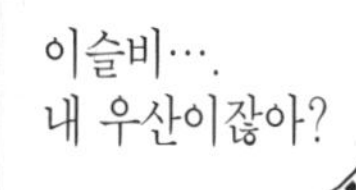

지수의 형이
서지원?

형—!
삐꺽
잘 놀았니, 꼬마야?

뭐야, 너는?!
뭘 알고 싶어
도둑 고양이처럼
여기까지
찾아 왔지?!
서…, 선배완
상관 없어요.

지수의 친구라서
와 있는 거라고요!
여기가
댁의 집이란 것도
방금 알았고!

형아….

그래?

이제라도 알았으니
썩 꺼져!!
형,
왜 그래?
여긴 우리 집이야!
당장 사라져!

가!
꺼지란 말이야!
형은 바보야.
슬비 누나에게
왜 그래….

오늘은 가겠어요.
하지만
다시 올 거예요.
난 지수 친구니까.
누나~.
빨리 사라져.
이 우산도 가지고 가!
형,
바보 바보—!
왜 그러는 거야?
시끄러워,
자식아!

시끄럽다고!
나쁜 지원
아이고 귀청
이거나 받아.
뚝
쯧…
로봇이다.

형, 그 누나
잘못한 거 없어.
내가 보고 싶다고
조른 거야.
좋은 누나야.
김치도 갖다 주고,
밥이랑 반찬도
해주고…,
청소도 해주고….
훌쩍
훌쩍…
나중에
김밥 싸가지고
공원에도
데리고 가준댔어.
전에
감기 걸렸을 때
약도 사줬다, 뭐.
슬비 누나는
꼭 엄마 같아.
이 자식이…!
우리 엄마가
그렇게 못생겼냐?!

나가!
어어엉~.
엄마
보고 싶어~
엉~.

울려거든 나가서
울란 말이야!
으야 야 야 야

엉 엉 엉

휙
에잇—!

엉
내 팬티까지
빨아놨잖아,
나쁜 계집애!

나쁜 놈!
다 빨아놓은
빨래를!!
못된 녀석!
형편없는 녀석!!
상상한 것과는 다르지만
정말 나쁜 녀석이잖아.
생각 같아선 당장이라도
결투를 걸고 싶었지만
똑같은 인간이
되기 싫어서
참았다.
그 선배 말대로라면
지금 지수만큼이나
착했다는 건데
왜 이렇게 못돼졌을까?

전화 왔어.
장미구나.
웬일이야?
전화까지 다 걸고?

…그래서
엄마 친구 집에
왔는데….
……
…….
……
…….
푸르매?

백장미—!
자, 장미
어디 갔어?
아직 안 왔어.
안 왔어?
오늘따라
왜 이렇게 늦지?
네가 너무
이른 거지.
웬일이야?
나야 주번이라
일찍 온 거지만.

몇 시쯤에 올까?
올 시간 다 되어가. 보통 7시 30분쯤 오더라.
왜 그렇게 안달복달이야? 뭔데?
아….
드르륵
왜 이렇게 늦은 거야?! 얼마나 기다린 줄 알아?!
미, 미안.

그러니까 확인까지는 못한 거네.
응…. 처음 보는 남학생에게 묻기가 좀….
생각해보니 잘못한 것 같아. 용기내서 물어보는 건데.
기대하지 마. 아닐 가능성도 많아.
그런 이름은 흔치 않은데. 나이도 같잖아.
그건 그렇지.
그 사람에게 연락할 수 있지?! 전화번호 좀….
전화번호는 알아볼 수 있지만 연락은 좀 힘들걸?
고3이라서 매일 새벽에 나가 밤에 들어온대.
꼭 만나서 확인하고 싶어. 어떻게든.

내가 연락을 해볼 테니 토요일에 한번 만나보자.
토요일?
그래, 고작 5일. 10년도 넘게 기다린걸.
평일은 아무래도 안 될 것 같아. 고작 5일이니 그렇게 하자.
으응….

어땠어?
뭐가?
그 푸르매란 사람 첫인상 말이야.
글쎄….

그래,
슬비가 말한 대로의
느낌이랄까….
왠지 비누 내음이
묻어날 듯한 단정한 얼굴….

그럼 푸르매가
아니라 해도
너네 둘중 누구랑

그 사람 외에
다른 사람은 생각조차

……
……
……

그 사람이…
누구야?
……!!

어서 말해봐.
어떤 사람이야?
……
우리 학교
학생이니?
반짝
반짝
반짝
반짝

…8년….

8년간 바라본
사람이 있어.
국민학교 4학년 때
처음 만난 후
지금까지 주욱…
바라보았어.
그의 웃는 모습.
화내는 모습.
고뇌하는 모습.
그 모든 게 어느새
나의 일부가
되어버릴 만큼.
그러니?
어쩜 그렇게 나랑 비슷하니? 나도 푸르매가 내 일부야.
동질감!
소외감…

으~~.
올 여름엔
필히 건수를
올리리!
끙…
난 꼭 푸르매랑
재회할 거야.
8월 5일이면
만나는 거야.
세상에서
제일 멋진
나의 푸르매.
엄마랑
같이 가지
않을래?
서울 가서 엄마랑
상아랑 같이 살자.
매일 네가
너무 걱정돼.
엄마….
아버지도
잘 안 들어오는
집인데 뭘가!
거의 매일을
너 혼자
보내야 하는데.
그래도
전 대구가
참 좋아요.

저도 엄마랑
살고 싶어요.
그래, 그러자.

아빠랑도
같이요.

…….

두 분은
서로 사랑하니까
결혼하셨겠죠?
…그래.

그런데
왜 아빠를
미워하시게
되었죠?
장미야,
엄마랑 아빠는….

너에게
어떻게 설명해야
할지….
우리는….
장미야.
네가 어른이 되면
얘기해줄게.
엄마는…,
…아빠를
사랑했었어.
사랑이 아닐 거예요.
사랑이란 그것만으로
하나의 약속, 용서가
아니었나요?
어머니는
그 약속의 의미를
버리신 거예요.
설령 아버지께
허물이 있었어도
정말 사랑한다면
끌어안으셔야죠.
저라면
그런 무책임한 사랑은
하지 않아요.

미전 출품작
좋더라.
미대 지망이니?
응.
서양화를
전공할까 해.
우리 언니들도
서양화 다 좋아해.
재능도 있고.

만화가 집 딸들이니 어련하겠니?
나도 요새 열심히 배우고 있어.
대구에는 소중한 게 많아요.
어이—, 대장! 대장, 어디 있어?!
서지원—!
있으면 대답해!
야, 지원아!
이상하다. 분명 이 근처에 있을 텐데….
부시럭…

무슨 일이야?
거기 있었구나.
……그래?

까드득…
가자.
따닥…
따닥
따닥…
따닥…
따닥…

어휴~, 놀랐다!
뒷담화하지 않아서
다행이었어.
뭘 그렇게 봐?
탁!
저 노래….
노래?
서지원이 지날 때마다
들리는 휘파람 소리 말이야.
몇 번 들었는데
늘 같은 곡인 것 같더라.
그래?
몰랐는데….
귀에 익은
곡인데….
으음.
제목을 모르겠네.
〈솔베이지의 노래〉.

그리그의 페르귄트 모음곡 중 〈솔베이지의 노래〉야.
〈솔베이지의 노래〉? 그, 백발이 될 때까지 방탕한 애인을 기다렸다는?
그게 그 노래였구나.
제목은 많이 들어봤는데 곡조와 연관시켜 생각하지 못했어.
솔베이지….
그 녀석이랑 너무너무 안 어울린다.

예비종이다.
툭
탁
탁
교탁 정리….
큰일 났네. 주변이면서 아무것도 안 해놨어.
서두르자, 장미야.
그래.

백장미….
뛰어다니는 모습을
보여주지 않는 소녀.
언제나 우아하고
느린 걸음걸이.
바람을 타듯
흔들리는
옷자락….
그래서
더욱 아름다운
내 친구.

푸르매를 만나면
무슨 얘기부터
할까?
안녕,
푸르매,
너무
밋밋해.
보고 싶었어,
푸르매.
그것도
좀….
푸르매는
어떤 얘기를
해줄까?
어떻게
변해 있을까?
늘 꿈꾸던 모습
그대로일까?

내 꼬마 신부가
멋진 숙녀가
되었네.
이슬비,
나의 신부가
되어줄래?
당연하지.
네 신부가 되는 건
오래 전부터의
나의 소망인걸.
그래서 예식날은
언제지?
내게도 청첩장을
보내주겠나?
꺄
아
아

스승이 제자 결혼식에
참석하겠다는 게
그렇게 놀랄 일인가?
대단하다~,
슬비~.
......
....
일생의 반려자를
헤매지 않고
벌써 찾았다는 건
축하할 만한 일이지.
그런 의미에서
아까 한 말을 영문으로
한번 말해보게.
ENGLISH
틀려도 좋으니
몇 마디라도
해봐.
저…,
그게….

그게….
그 정도의 영작도 못하다니, 자네 신랑 보기에 부끄럽지 않은가? 그대로 서 있어!
'오래전부터 내 소망은 너의 신부가 되는 것이다.' 이 문장을 영문으로 말해볼 사람, 손 들어봐.
……
우와 꺄아
우워어~, 그런 말??
이슬비, 대단하다!!!!
벌써 그런 사람이 생기다니.
부럽다.
신랑감이 누구냐? 소개해라~.
때르르르릉…

와글 와글
그럼 전 학교 학생이니?
시끌벅쩍
오래전부터라고 했으니 우리 학교 학생은 아니겠다.
미팅 주선해!!
…….
온종일 정신을 빼놓고 다니는 것 같아.
슬비, 저대로 좋은가? 완전 비몽사몽인데.
교실 잠그고 슬비 챙겨 따라갈게.
미술실에 먼저 가 있어, 장미야.

불개미단이다.
또 무슨 짓을
꾸미는 걸까?
종일
저러네.
문섭인가 하는 녀석,
팔 깁스 한 거랑
관계 있는 거 아닐까?

인성만 좀
고치면
좋을 텐데….
나의
지원 씨~.
생긴 거 하나는
남자인
우리 심장에도
해로워.
너를 볼 때
내 눈에 보이는 건
너의 근사한 외모가
아니야.

다들 말하지.
네 머릿결은
나풀나풀 실바람에 날리는 명주실….

네 눈빛은 차가운 별 같아서
언뜻 마주치면 번갯불 한 조각이
가슴을 꿰뚫는 것 같다고.

그래, 다들 큰 소리로 말해.
너의 미소는 홀린듯이 빠져들어가 눈 돌릴 수 없게 되는
악마와 같아서 달콤하지만 잔인하다고.

그러나…,
그러나…
그것은 바람에 흩날리는
길가의 가랑잎을 판단하듯 한 것뿐이야.

내 눈에 너는 언제나
내가 처음 본 너.

아직도 깊숙한 곳에
고요히 자리하고 있을
맑고 투명한 천사의 영혼.

몽룡이의 1분 교실

〈솔베이지의 노래〉에 대해서

노르웨이의 작곡가 그리그의 가곡.

같은 노르웨이 태생의 문호 입센의 희곡
「페르 귄트」를 위한 부수음악(전 24곡, 작품번호 23) 가운데 하나이다.
방랑의 길을 떠난 페르가 돌아오기를 애타게 기다리는
솔베이지의 영원한 사랑을 노래한 것으로
1875년 쓰여져 1876년에 초연되었다.
그리그는 그 후 몇 가지 편곡을 시도하였다.
그 중에서도 〈페르귄트 음악에서의 관현악 모음곡〉
제22(작품번호 55:1891)의 제4곡 〈솔베이지의 노래〉는
A단조로 시작되는 바이올린의 애수를 띤 선율로서 널리 애호되고 있다.
이밖에 피아노용의 편곡(작품번호 52)도 있다.

페르귄트 : 몰락한 지주의 아들로, 집안을 재건할 생각은 않고
지나친 공상에만 빠져서 애인 솔베이지를 버리고 마왕의 딸과 결탁,
돈과 권력을 찾아 떠난다. 한때 성공을 하는 듯했으나
방탕한 생활 끝에 여자에게 배신을 당하고 모든 것을 잃어버린다.
늙고 병든 몸이 되어 고향을 찾은 페르는
백발이 된 솔베이지의 품에 안겨 숨을 거둔다.

부와 권력의 추구에서 오는 정신의 황폐와
여인의 청순무구한 사랑을 비교시켜서
최후의 구원을 발견케 하는 작품.

캣츠아이?
고양이 눈?
그래, 짱 이름은 이상록. 결성된 지 이제 두 달인데, 인근 학교에 소문이 자자해.
그래서 내 동의 없이 시비를 걸었고, 그 결과 얻은 건 골절상…이란 얘기지?

문섭이와 태훈이…. 너희 둘이 그렇게 유명했나?
시비는 그쪽에서 먼저…. 우리 불개미단을 공공연하게 모욕하고 시비를 걸었단 말이야.

거리에만 나서면 김문섭은 불개미단원이라고 다들 알아본다 이거지?
그, 그런 게 중요한 건 아니잖아! 난….
모두에게 분명히 경고했었다. 개인적인 행동에 우리 불개미단을 들먹이지 말라고….
나는 졸업만은 해야 한단 말이다. …알겠어?
규칙 3조, 누가 시비를 걸어올 땐 철저히 응징하되 먼저 도발하진 않는다.
그 규칙이 싫은 놈은 떠날 수밖에….

장미야, 이거 정말 네가 그린 거니?
나도 보자.
정말 잘 그렸다. 그치?
그래, 올 가을 미전에 출품하면 입상하겠어.
나라면 저런 칭찬 들으면
너무너무 신날 텐데….
장미는 그다지 기쁘지 않은 표정이다.
국어사랑 나라사랑
나라살림 살찌우자 국산품 애용하여
서…지원.
뭐? 서지원?

나 잠깐
나갔다 올게.
서지원!
너냐?
오늘은 또 무슨 일로
시비 걸러 왔지?
하아..

왜 벌써
가는 거예요?
3학년은 수업
안 끝났을 텐데….

이제 그런 것까지
간섭하시겠다?

좋아요.
그런 간섭은
안 할게요.
대신 30분만
기다려줘요.
교실 청소 끝내고
나올 테니까.

그래야 집에
같이 가잖아요.
재밌네.
내가 왜 너를
기다려야 하지?

천하의
서지원에게
여자 친구가
생기다니….
뭐? 집에 같이
간다고 그랬냐?
내가 제대로
들은 거 맞아?
같은 집에
사는 거냐,
같이 사는 거냐?

일기장!!
어딘가에서
잃어버려
찾고 있었는데….

미안하지만
난 바빠.
부릉!
할 수 없군요.
일기장 돌려줄
셈이었는데.

잠깐—!

그런 몰상식한 일은 안 해요.
설마 내 일기장을 훔쳐본 건 아니겠지?

교실 안에 있어요.
이리 내놔.

왜 자꾸 따라와요? 바쁘다면서….
이봐.

으이그~,
저걸 그냥….

알았어! 기다릴 테니
빨리 갖고 와!
나에게 그런
야만적인 태도
할 수 있는 거예요?

그런 공갈이나
협박따위 하나도
안 두렵네요.
불개미단 소문을
아직 못 들은 모양이군.
아주 잔인하고
끈질기고 폭력적인
집단인 걸 말이야.
난 그 우두머리야.

자꾸 그러면
전교생에게
일기장 공개해버릴
거예요.
너—.
도대체 뭘 믿고
큰소리냐?

뭐?

완벽한
협박이다.

30분이라고
그랬지?
기다릴 테니
빨리 나와.
방긋…
금방 갔다 올게요.
흥,
표정이 제멋대로
바뀌는군.

슬비 너, 제정신이니? 저 사람이 어떤 사람인 줄 알아?
그래, 무서운 깡패야. 아예 가까이 안 가는 게 좋아.
모두 무슨 말을 하는 거니?
그도 우리와 같은 사람일 뿐이잖아. 생각해봤는데, 나쁜 짓을 하면 못하게 말리고, 충고도 하며 서로 돕고 살아가야 하는 것 같아.
나 먼저 갈게.
저렇게 말하니 할 말 없다.
탁

지원 선배,
많이 기다렸죠?
칠면조가
따로 없다니까.
씨익…!
타라.
예?
먼저 데이트 신청한 건
너잖아.
푹…
와앗—!

바아아앙
슬비, 왜….
정말 의외다. 저 둘 사이 굉장히 가까운가 봐.
설마…. 전학온 지 얼마 됐다고.
아냐, 의미 있는 대화도 많이 나누는 것 같았어. 멀어서 잘 안 들렸지만.
넌 푸르매가 있다고 했잖아! 어째서….

나 오토바이 타는 거
처음이에요.
좀 무서운데….
바아앙
혼 좀 나봐라.

덜컹

꺄아아—!

신난다~!
계단을 내려가는 건
정말 재미있네요!
……!
끼
이
익
내려.

나를 상대로 협박이라니….
간을 바닷속 용왕님께 갖다 바친 모양이군?
아하~. 조금은 미안하게 생각하고 있어요.

넌… 내가 안 무섭니?
여긴 사람들이 드문 곳이야.
넌 여자고 난 무서운 남자라고.

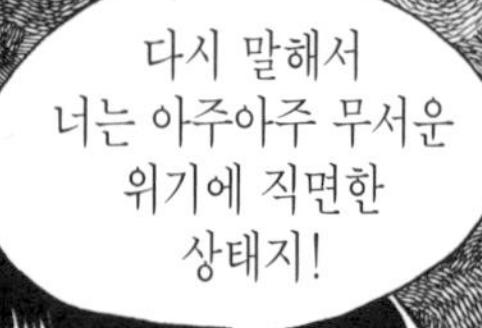
다시 말해서 너는 아주아주 무서운 위기에 직면한 상태지!

안… 통한다!

아 참!

지원 선배가 일기를 쓸 줄은 몰랐어요. 지수가 그림일기를 쓰는 것은 봤지만….
여기 일기장요.

이슬비! 이제까지의 일은 전부 눈감아줄 수 있어. 그러나 지수에겐 더 이상 접근하지 마!
그 일에 대해서라면 나도 할 말 있어요! 지수에겐 보살펴줄 누군가가 필요하다고요! 아침, 점심, 저녁, 꼬박꼬박 챙겨주고 행여 아플 때는 간호도 해줘야 하잖아요!

내가 동생 굶겨 죽이는 사람으로 보여?
그렇지 않나요? 언제 밥 한번 제때 해먹인 적 있어요?

라면도 있고, 케이크도 가끔 사준다!
라면이나 케이크로 연명할 수는 없어요!

그 애 보호자는 나야. 쓸데없는 참견 마.

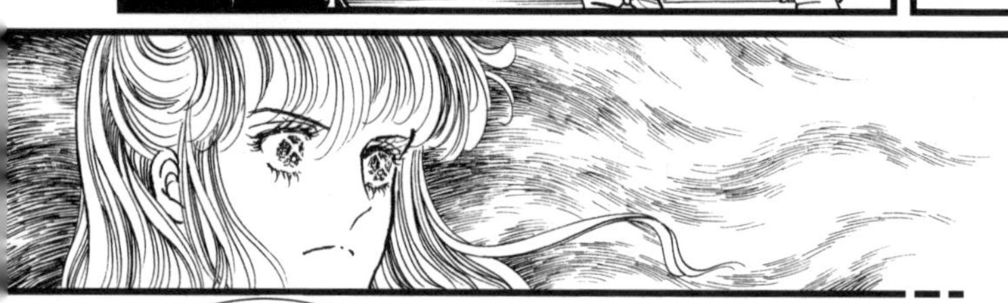

선배가 정말 지수를 안심하고 맡길 수 있는 사람이라면 물론 상관하지 않아요.
기꺼이 물러설 수 있어요.
너 없이도 잘 키울 수 있으니 걱정 마.

이혼한 부부인가 보지?
자식 두고 양육권 다툼 하나 봐요.
딱해라. 아직 저렇게 젊은데 이혼이라니….
믿어도 되죠?
그래.
우린 절대 이혼하지 말자고.
당연하죠.
만일 지수에게 무슨 일이 생기면 제일 먼저 선배를 문책할 거예요.
좋아, 조금도 겁나지 않아.

8살이 되면 국민학교에 입학시켜야 해요.
그쯤은 나도 알아.
그럼 예방접종은 반드시 시켜야 한다는 것은 알아요? 간식으로 꼭꼭 우유 등을 먹여 칼슘 섭취를 충분히 해주고, 사흘에 한 번은 꼭 목욕시켜야 하고, 어린이날에 반드시 같이 놀아주고, 속옷은 매일 갈아입히고, 한 달에 한 번은 이발을 시키고….
좀 천천히 얘기해. 수첩에 적어야겠으니….

단것 많이 못 먹게 해요. 콩 종류는 괜찮고….
음…. 이런 게 있는 줄은 몰랐는걸.
됐어~
이 만능수첩만 있으면 지수 보살피는 건 식은 죽 먹기야.
아차, 가장 중요한 걸 잊었다.
지수 나이는 인성 형성의 시기이기 때문에 정서 교육도 매우 중요할 거예요.
긍정적이고 밝게 세상을 볼 수 있도록 키우는 거죠.
제 경험에 의하면 동화책을 자주 읽어주는 것도 좋은 방법이 될 것 같아요.

그럼,
난 이만….
뭐 하는
녀석이야?
푸르매가
누구야?
푸르매를
어떻게….
하늘이 떠나라
떠들어대는데
안 들을 수가
있겠어?
아…, 아까
잔디밭에서….

정말 그… 녀석 만나러 갈 거야?
넌 아무래도 집에 가서 엄마 젖 더 먹어야겠다, 아가야.
물론이죠. 10년 동안 매일매일 보고 싶던 푸르매니까요.
뭐라구요?
코흘리개 시절 얘기를 철석같이 믿고 기다렸다가 이제 또 찾아간다니 그게 정상이냐구.
남이야 정상이든 아니든 무슨 상관이람.
칫
상관이야 있지. 즉…,
그런 불확실한 녀석 만나느니 나와 사귀는 게 어떠냐는 거야.

유, 유감스럽지만 사양합니다.
어째서? 나 정도면 괜찮은 보이프렌드 아닌가?
그런 병신보다야 백배 낫지 뭘 그래?
푸르매를 모욕하지 말아요! 자신이 푸르매와 비교될 자격이나 있다고 생각해요?
푸르매가 천국이면 댁은 지옥, 푸르매가 천사라면 댁은 악마라고요!
당신 같은 사람 100명이 와도 푸르매하고는 못 바꿔요.
그래, 난 악마라 치자!
그럼 넌 뭔데, 이 백치 같은 계집애야! 그 정도 나이를 먹었으면—,
알 건 알아야 할 것 아냐?!

뭐…,
뭐야…?
너처럼 그따위
약속 기다려서
지킬 병신이
또 있는 줄 알아?
설령 그놈을
만난다고 해도
그놈이 어떻게
변했을지
알 게 뭐야!

푸르매 따위가
다 뭐야!
나쁜 자식….

나쁜 자…식….

제12장 파문 part.1

푸르매
몽술이

壽
푸르매

약속했으니까.
난 믿고,
기다리는 거야.
中학년
ENGLISH
푸르매는
약속한 것을
꼭 지켜.

푸르매는
돌아오지
않아!
절대
돌아오지
않아!
그런 약속 따윈
잊었을 거라고!

거짓말이야—!
그래, 거짓말이란 말이지, 이슬비?
어, 엄마?

솔직히 고백했으니
채찍은 삼가겠다.
빨리 체육복 갈아입고
마당으로 나오도록!
무슨 일이야,
언니들?
어휴~, 바보.
기껏 변명해줬더니
망쳐버려?
오늘 아침에도
네 반찬은
간장 낙점이다.
재방송을
하자면….
저것이
어김없이
늦잠을….
그래요,
병나기 전에
좀 쉬게….
그런데 네가
자진납세
해버렸어.
어, 엄마….
슬비가 몹시
안 좋아요.
저녁에
열도 났어요.

꿈이다.
악몽이야!

으윽~.
이 나쁜 자식.
꿈에서
괴롭힌 것도
모자라서
현실까지….
…그러나 이상한 꿈.

덜컹
안녕하세요?
두근…
아…, 아…,
안녕.
바보같이
말을 더듬다니….
?
지금 가니,
슬비?
어, 선배님도
아직 안 가셨네요.

후후
뭐… 뭐지?
눈에 보이지 않는
무언가를
주고 받는 것 같아.
머지않아
또 시험이네.
예.
하지만 뭐
걱정 안 해요, 전….
헤헤….
괘씸하군.
나를 놔두고
자기네들끼리만
얘기하다니.

모두들, 안녕?
서지원이랑
굉장히 가까운
사이래.
세상에,
그렇게
안 보이는데.
얼굴만
보고는
몰라.
웅성 웅성
수군 수군

장미야.
오늘은 일찍 왔네.
으응….
어제 혹시 연락해봤어?
…무슨…?
푸르매 말이야. 혹시 알아봤는지….
아…, 미안.
어제는 딴 생각 때문에….
…그래.
미안해, 슬비. 오늘은 꼭 연락해볼게.
직접 통화 안 되면 내게 연락해달라는 메모라도 남길게.

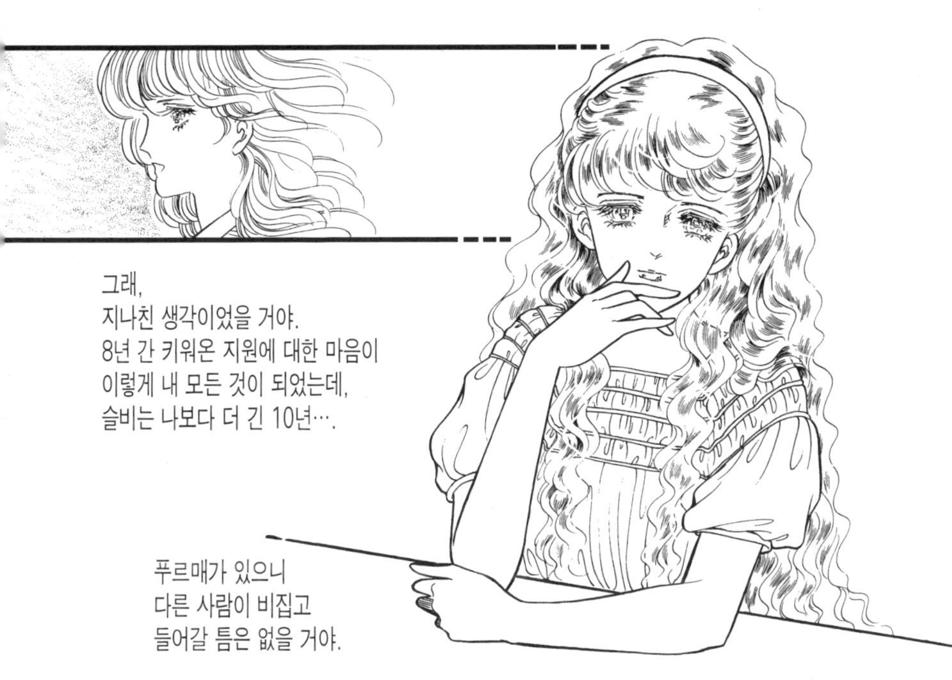
그래,
지나친 생각이었을 거야.
8년 간 키워온 지원에 대한 마음이
이렇게 내 모든 것이 되었는데,
슬비는 나보다 더 긴 10년….
푸르매가 있으니
다른 사람이 비집고
들어갈 틈은 없을 거야.

장미 넌 좋겠다.
좋아하는 사람을
아무 때고
볼 수 있을 거
아냐.
응.

그 애도 널
좋아하겠지?

그…, 글쎄.

몰라?
말 안 해줘?
으응.

그럴 수가….
네가 자길
좋아하는데도
자기 마음을
안 밝혀?
스…, 슬비,
좀 작게….
나… 사실은
한 번도
물어본 적 없어.
뭐?
왜…?
무서워서.
무섭다니, 왜?
…….
좋아하는데,
왜 무서울까?
무서운 사람을
좋아하나?
저어….
그보다
묻고 싶은 게
있는데, 슬비….
너… 어제…
서…지원이랑….

너 같은 건
벌써
잊었을 거라고!
느아쁜 녀석!!
오늘 아침에는
간장 하나로
식사하게 했겠다.
복수하고
말 테다!
저것 봐,
서지원이랑
같이 산다는 거
진짜인가 봐.
웅성
웅성
헛소문이
아니었잖아.
이름이
이슬비라고?
어제 내 짝도
두 귀로 똑똑히
들었다더라.
스··
슬비··
진짜로
서지원이랑
사귀는 거야?
뭐, 뭐라는
거야?

설마,
서지원이
저렇게
못생긴 애를
좋아할 리가
없어.
그래도
제 눈에
안경이란
말이 있어.
혹시 여자 깡패
아닐까?
그러니까 자연스레
어울리겠지.

나온다, 나온다.
도망가자.
저것 봐.
걷는 모습도
깡패 같잖아.
으으윽~.
저 왜곡 보도는
어떻게 시작된 거지?
머리가 아프다.

선배님, 또 만났네요.
아…, 안녕.

여자 깡패다.

후다닥
왜 저러지?

뭐라는 거야?!
와~! 화낸다.
도망가자!

쐐애애앵

혹, 조금 전
종인 선배도 나를
여자 깡패인 줄
알고….
권투부
내겐 푸르매가
있는데 그 무슨….
얼굴에 여드름 났는데
보지 않았을까?
눈에 흉터 생긴 것도
표시가 많이 나는데….
조종인,
거울 앞에서 뭐 해?
깜
짝
아, 아냐.
엉?

휙…
슬프다.
하아
하아
내가 왜 이러지?
정말 왜 이러지?
저 애만 보면
이렇게 가슴이 뛰다니….
혹시 무슨 병에
걸린 건 아닐까?
그래,
특유의 괴팍한
행동도
잘 안 하고….
어이—.
종인이 녀석,
어딘가 좀 이상해
보이지 않아?
왠지 조용해진 게
분위기가 좀
달라진 것 같아.
푹
긁

언니, 지우개질이나 먹칠 할 거 있어?
아직 없어.
하지만 내일이면 산더미처럼 나올 테니까 미리 각오해둬.
알았어.

뭘 해도 진정이 안 돼.
그… 사람이…
정말 푸르매일까?
그런 이름은
흔치 않아.
하지만….

느앙자…이옷을…
꺄아
구미호다
MIRAS

하아품…

장미는 너무해.
좀 더 자세히 알아보지.
나 같으면
처음 보는 남학생이라도
물을 건 물을 텐데….
후~

그치만 토요일에
만나게 해준다니
기다려야지.
토요일까지는
4일이나 되는데
후딱~
지나가버리는
방법 없나?
1989年 6月

그 사람,
대단한
수재라더라.
매일 새벽에 나가서
자정 가까이 되어
들어온대.
완전 노력파야.

그래! 공부를
한번 해보는 거야.
푸르매에게
창피한 성적표를
내보이기는
그러니까.
이 공식을
대입해서….
끙 끙
수열
함수
무한 등비수열

언니, 이 문제 좀….
나 졸업한 후 몇 년인지 몰라? 그런 걸 어떻게 기억해?
난 수학은 젬병이야. 그런 거 말고 세계사, 국사 같은 거 물어. 백과사전보다 더 정확히 가르쳐줄 테니.
이하동문.
……!!!
으이그~. 언니가 넷이라면서 이것 하나 제대로 가르쳐줄 인재가 없어.
동생이 모처럼 공부 한번 해보겠다는데….
그런 거라면 옆집 학생회장한테 물어보지 그래?
참, 그렇지!

헤헤….
슬비입니다.
어서 와, 슬비.
웬일이야,
여기까지?
뭐, 슬비라고?
어서 와요.
옆집에 산다지?
와…, 미인!

사실은요…,
수학 풀다가 모르는
문제가 있어서
구원 요청하러
왔답니다.
그래? 그럼
내 방으로
올라가자.
어떡하지?
나갈까, 말까?
어머니, 저희들
올라갈게요.
먹을 것 좀
부탁해요.
오냐,
알았다.
마침 혁진이도
놀러와 있었어.
안녕, 슬비.

뭐야, 저 녀석?
반갑게 인사를
다 하고.
방긋 방긋
수학
슬비, 이리로—.
예.
난 원래 백장미를
좋아했잖아.
지조 있는 남자는
두 여자를 좋아하지
않는 법이야.
내가 정말
왜 이러지…?
이런 현상은
누군가를 좋아하게
되었을 때
나타나는 거야.
그런데 왜 자꾸
반짝이냐…?

야아
와~, 굉장해요. 역시 선배님. 앞으로도 종종 물으러 와도 돼요?
그런 문제라면 얼마든지.
가정, 가사 같은 것만 아니면 돼.
그거라면 제가 꽉 잡고 있어요. 이론은 부족해도 실기로….
앞으로 자주자주 놀러 와요.
어머, 왜 벌써 가니? 더 놀다 가지 않고….
아니에요, 늦었는데 그만 가봐야죠. 안녕히 계세요.

어머니께서 굉장한 미인이세요.
그래?
사실은 미인대회 출신이시란다.
왓…, 정말요? 어쩐지 미인이시더라.
선배님도 어머니를 닮아서….
잘 가.
안녕히 계세요.
너도 가려고?
그래, 내일 보자.

슬비니?
응, 언니.

어디 갔었니?
너 찾다가
미라가 대신….

엄마아—!
슬비가 남자 친구를
데리고 왔어요!
무…, 무슨 말이야?!
난 혼자….

—!!!

남자다
남자
정말 이네
슬비도 여자였구나
안녕하세요, 슬비의 학교 선배 전혁진이라고 합니다.
우린 슬비의 언니들이야.
모두 언니들 뿐이야? 오빠나, 남동생은 없어?
말 시키지 마!
손님이 왔으면 안으로 모시잖고.

만화가
이상형 선생님!!
음? 나를
알고 있나?

알고 말고요.
제가 평소에 선생님을
얼마나 존경했는데요.
선생님 만화는
하도 많이 봐서 거의
외우다시피 한답니다.
그래?

주 목적은
저거였구나.

여성의 비율이
높은 집이군요.
우리 집엔 남자라고는
나뿐이지. 그래서 가끔
소외감을 느낀다네.
그래서...
하하하
아버지랑
잘 통하는 것
같다. 그치?
그래.

딩동 딩동
미라, 시장 갔다 오나 보다.
덥지, 언니! 여기 냉수.
헉
헉
다녀왔어.
슬비, 너….
네가 갑자기 없어지는 바람에 나만 고생했잖아.
퍽
딱
그만 해둬, 미라야.
그래, 슬비의 남자 친구도 왔는데 남세스럽다.

남자 친구?!

7인의 여검객에서 주인공은 외팔이 양가인이었다고 생각합니다!
음~. 역시 내 의견과 비슷하군. 역시 남자끼리는 통하는 게 있어.
정말이네.
또 악인 정소추가 회개해서 여검객 월향선과 결혼한 것은 불만이었습니다. 한번 악인은 영원한 악인입니다.
예리한 녀석. 정곡을 찌르고 있어.
내가 할 말을 자네가 다 하는군.
나도 비극적 정소추의 최후를 생각했지.
근데 잘생겼다고 딸들이 자꾸 살려서 결혼시키라고 주장하지 뭔가.
하지만 감격적인 만화였어요.
그래, 나도 심혈을 기울인 작품이었어.

참, 이건 저의
습작품입니다.
뭐? 정말
네가 그린 거야?
쿵
美 羅
여보—,
이것 좀
봐요.
?
아니,
이럴 수가….
소질이
넘쳐흐르고
있군요.
그렇지?
만화를 위해
태어난
녀석 같아.
잘 키운 문하생 하나
열 자식 안 부럽다
기초 없는
창작 없다
자선부터
충실히
흠….
정말 멋진
그림이야.

타
얏…
나도 나중에 저렇게 해야지.
!
쓰윽
어, 만화 인형 몽룡이네.

이…, 이럴 수가….
예리한 녀석이야.
굉장한데.
그래.
우와~, 꼬리가 9개나 되네.

이번엔 쌍절곤이다.

미라의
필살비기.
공포의 쌍절곤.
후 후...
쌍수경천
소진배검

타앗!
저건 뭐지?
이…, 이런!
우연이냐,
실력이냐!
여기에도
인형이―.
야아~, 이게
원고구나.
우 와 아 …

유유자적
그렇지?
굉장한 인재예요.
헉
혁진이라고 했지?
만화 배우고 싶으면
자주 놀러 와.
귀여워.
여보, 저 애를
우리 집 사위로 삼아
만화 가문의 대를
잇게 합시다.
까욱
그래요.
우리 집 딸답지 않게
무재주라 이상하다
했더니 남자 고르는
눈이 있었지 뭐예요.
그래, 그래.
푸르매가 오면
물론 푸르매가
후보 1위지.
?
그런 소리 마세요!
내게는 푸르매가
있다고요!!

이봐요—!
저녁은 먹고 가야지?
…….
예, 그렇게 할게요.

화기애애
이게 무슨 불상사냐. 학교에선 학교에서대로 스캔들에 시달려 피곤한데….
으음…. 골치가 아프다.

그럼 이만 가보겠습니다.

폐가 많았습니다.
안녕히 계세요.
완전 90°
허허….
인사성도 밝지.
자주자주
놀러 오너라.

넌 남자 친구가 가는데
배웅도 안 하니?

이봐, 잘 가.

비틀 비틀

손바닥에
몰래 돌멩이를
숨겼지롱.
무슨 짓이에요.
사람 당황하게스리.
미안해. 너희 아빠
이상형 씨는 평소에
너무너무 좋아하고
존경하던 분이었거든.
꼭 한번 뵙고 싶었어.
오늘 너를 만나니
물불을
못 가리겠더라.

만화
좋아해요?
응. 다방면으로
좋아하지만 감정 표현이
치밀한 순정만화를
특히 좋아해.
내 꿈은 만화가야.
공부 시간에
그림 그리다가
혼난 적도 많아.
선생님은 그러셨지.
내가 만화 그리는
열정으로 공부하면
전교 1등이라도
할 수 있을 거라고.

부러워요, 재능이 있어서….
나는 만화가의 딸답지 않게 재능도 없고 모두들 돌연변이라 부르는 거 있죠.
…사실은 만화를 좋아하는데 그러니까 왠지….
난 그렇게 생각 안 해. 재능이라는 것은 그리 표면적인 것만은 아닐 거야. 감춰진 재능이 언제 꽃필지는 아무도 몰라.
문제는 얼마나 노력하느냐가 아닐까? 만화를 좋아한다면 노력해봐.
그, 그럴까요?
그래, 인내심을 갖고 노력해봐.
예, 그럴게요.

응, 이 목소린…?
하 하 ..
호호 ...
저…,
저럴 수가!
엄마가
정류장까지
배웅하랬는데.
됐어.
이제
들어가봐.

여자는 밤길을
조심해야 되는 거야.
위험하다고.
아야!

안녕!
후후….
재미있는 사람이야.
그래. 처음부터
나쁜 사람은
없는 거야.

이…, 이럴 수가….
난 말 한 마디
제대로 해보지 못했는데…
어느 사이에….
족제비 같은 자식!

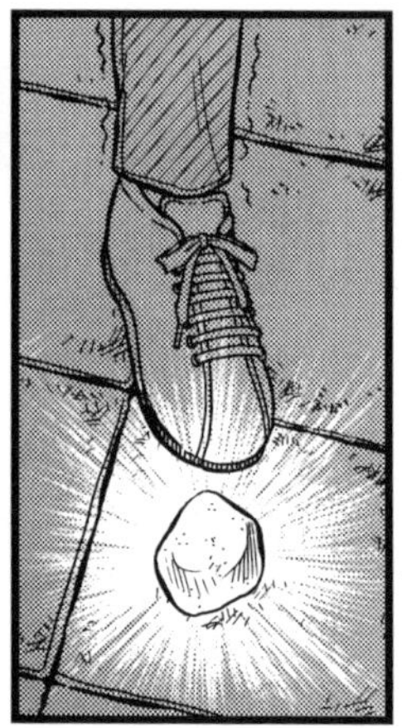

아야—!

어떤 놈이야?!

재수없어.
에이~.

♡푸른고교 지정교복♡
어때요?
우리 학교
교복이랍니다.
복장은 자유의사에
맡기기 때문에
학생들 대부분이
안 입지만 교복임에는
틀림없지요.
하복
춘추복
동복
어울립니까?

푸른고교의 반 편성표

학반 / 학년	1	2	3	4	5	6	7	8	9	10	11	12
3학년	남학생 (인문반)			남학생 (자연반)			남녀합반 (자연반)	남녀합반 (인문반)	여학생 (인문반)		여학생 (자연반)	
2학년	남학생 (인문반)			남학생 (자연반)			남녀합반 (자연반)	남녀합반 (인문반)	여학생 (인문반)		여학생 (자연반)	
1학년	남학생						남녀합반	여학생				

3학년 7 반

3학년 5 반

보다시피 슬비는 1학년 9반이에요.

주요 인물들이 한눈에 들어오죠.

1 학년 9 반

『인어공주를 위하여 2권』 끝

인어
공주를
위하여

LEE MI RA SPECIAL EDITION

인어공주를 위하여 2

2023년 4월 25일 초판 1쇄 발행

저자 이미라

발행인 정동훈
편집인 여영아
편집책임 최유성
편집 양정희 김지용 김혜정
디자인 형태와내용사이

발행처 (주)학산문화사
등록 1995년 7월 1일
등록번호 제3-632호
주소 서울특별시 동작구 상도로 282 학산빌딩
편집부 02-828-8988, 8836
마케팅 02-828-8986

ISBN 979-11-411-0325-5 (07650)
ISBN 979-11-411-0323-1 (세트)

값 16,500원